KB123354

시조문학,
선비들의 여가문화와
사랑의 사회학

류해춘 저

머리말

시조(時調)는 우리 민족의 고유한 정형시이다. 조선시대의 지식인인 선비들이 주도적으로 창작한 평시조와 사설시조는 우리 민족의 여가문화와 대중예술의 성격을 수용하고 있다. 이 시기의 선비들은 양반과 사대부로도 불리면서 온고지신(溫故知新)을 바탕으로 수기치인(修己治人)과 학행일치(學行一致)를 수련하였으며, 시조를 바탕으로 한 여가생활(餘暇生活)과 풍류생활(風流生活)을 통해서 생활과 학문 그리고 예술을 삶과 일치시키려고 노력하였다. 선비들의 예술 활동으로는 시와 그림 그리고 음악 등이 있었다. 그 중에서도 한글로 지어진 정형시인 시조에서는 조선시대를 살아간 선비들의 학문과 예술 그리고 인생을 일치시키려는 정형성의 규율과 함께 자유로운 선비정신의 미학을 함축하여 다양한 주제를 표출하고 있다.

시조의 발생과 기원에 관한 견해는 다양하다. 연구자들은 발생과 기원의 갈래로 한시(漢詩), 민요(民謠), 향가(鄕歌), 속요(俗謠) 등에 표현된 형식과 구조를 바탕으로 한 문학성과 예술성을 주목하여 다양한 결론을 도출하고 있다. 그리고 그 명칭으로는 시조와 함께 신조(新調), 가곡(歌曲), 단가(短歌), 영언(永言), 시여(詩餘), 시절가(時節歌), 시조시(時調詩), 민족시(民族詩), 시절가조(時節歌調), 단형시조(短形時調), 장형시조(長型時調), 사설시조(辭說時調) 등의 예술적인 명칭으로 다양하게 불려지고 있다. 문학의 갈래적인 측면에서는 시조라는 명칭으로 일반화되어 있어서 시조라고 함이 적절하고 타당한 명칭이라 하겠다.

조선전기의 시조는 지배계층의 선비인 지식인들에 의해 정형시인 평시조의 갈래로 정착되었고, 조선후기인 18세기 이후의 시조는 선비를 자칭하며 실학정신을 실천한 전문가객들에 의해서 놀이판인 유흥현장에서 사설시조로 전환되면서 대중예술에 가깝게 발전하였다. 그리고 20세기에 와서는 음악성을 버리고 현대시조라는 새로운 문학의 갈래로 변모하면서 21세기인 오늘날에도 우리 민족의 고유한 정형시로 면면히 창작되고 있다. 그래서 시조는 민족 고유의 정형시로서 매우 오래된 전통과 역사를 지닌 갈래이며, 우리 민족과 함께 성장해온 상생과 융합의 갈래라고 할 수 있다.

이 책은 다가오는 미래의 변화에 인문학이 대응하기 위해서 조선시대 시대환경의 변화에 적응하며 변화를 모색해온 시조를 주목하고 있다. 시조에 나타난 조선시대의 새로운 변화로는 조선전기인 15세기에는 선비들이 산수자연에서의 여가문화를 시조에 접목하였고, 조선후기인 18세기에는 전문가객들이 사설시조와 함께 연행현장에서 대중예술의 특징을 수용한 것이라 할 수 있다. 문학을 넘어서 문화사를 전반적으로 살펴보면, 15세기에는 조선의 건국과 함께 성리학이 성행하여 새로운 평시조가 자리를 잡았고, 18세기에는 실학이 유행하면서 새로운 지식의 발견으로 대중예술의 장르인 사설시조가 형성되어 자리를 잡은 시기라 할 수 있다.

이처럼 조선시대는 한국의 문화사에서도 가장 매력적이고 생동감 넘치는 시기였다고 할 수 있다. 조선전기에 조선을 지배했던 성리학은 정신적 가치 추구를 최고 덕목으로 삼으면서 평시조라는 문학

갈래를 생성하여 사대부들의 여가문화를 표현하는 갈래로 조선후기까지 지속시켰다. 그리고 18세기에는 새로운 가치관이 정립되어 경제를 중시하는 실학사상이 널리 퍼져서 전문가객들이 새롭게 사설시조라는 갈래를 파생시켜 평시조와 함께 노래하게 되었다. 사설시조에서 실학의 정신을 이어받은 실학파의 사족(士族)과 전문가객들은 정신적 가치만큼 물질적 가치도 중시해야 한다고 주장하였다. 18세기 이후의 실학자들은 근대적인 경제현상과 함께 새로운 소비문화의 변동에 관심을 가지기 시작했던 것이다. 세상의 변화를 읽기 시작한 실학파의 선비들은 자기가 좋아하는 것에 집중할 만큼의 쓸만한 경제력을 예비하고 준비하게 되었다. 이에 힘입어 예전에는 보지 못했던 새로운 성격의 사설시조를 출현시킨 선비들과 실학자들은 대중예술의 성격을 수용하여 문화생활의 다양한 변화를 주도하였다.

18세기에는 새로운 중인계층의 선비인 전문가객들이 등장하여 연행현장에서 평시조를 대중예술로 과감하게 변형시키면서 사설시조를 향유하였다. 양반 사대부의 선비들은 조선전기부터 창작한 시조를 통해서 새로운 여가문화인 정원과 원림을 경영하면서도 애정생활을 노래하는 내용으로 사설시조를 애창하고 즐기기도 하였다. 조선 후기에는 꽉 막혀 있던 전통사회에 자유로운 지식인인 중인계층의 선비들과 전문가객들이 등장하여 새로운 자본주의와 동서양의 문화를 실학의 정신으로 수용하였다. 조선의 역동적인 지식인인 전문가객들은 사설시조를 자유롭고 발랄한 연행문화로 발전시키면서 다른 한편으로는 여가문화와 대중예술이라는 새로운 변화의 세계로 우리 민족의 문화를 변화시켰다. 이러한 변화를 수용한 선비들과 전문가객들은 평시조와 사설시조로 다양한 여가문화와 대중예술에 가까운 사랑의 사회학을 표출하기 시작했다. 그래서 이 시기의 평시조와 사설시조는 선비들의 다양한 여가문화를 새롭게 표출하면서, 연행현장에서 오늘날의 대중예술처럼 애정과 사랑의 갈래를 적극적으로 노래함으로써 사랑의 사회학을 웃음과 해학의 미학으로 노래하기 시작하였다.

이 책은 2011년 『인문정책포럼』에 실린 「글로컬화와 인문학」이라는 글의 제목을 수정하여 「시조문학, 인문학의 글로컬화와 선비정신」으로 수정했으며, 2004년 여름부터 『시조세계』에 연재한 21세기의 「웰빙시대의 시조미학」을 「시조문학, 우리 선비의 참살이와 여가문화」라는 제목으로 수정하였고, 2005년 여름부터 『시조세계』에 연재한 「사설시조에 나타난 주부의 성담론」을 「사설시조, 사랑의 사회학과 대중예술」이라는 제목으로 바꾸면서 이미 발표한 글을 새롭게 가다듬고 수정하였다. 이 책은 필자의 저서인 『시조문학의 정체성과 문화현상』(보고사, 2017)이라는 서적과 동시에 출판하려고 했는데, 문학 저널과 학회지 등에 발표한 원고 정리를 차일피일 미루다가 이제야 고치고 다듬어서 한 권의 책으로 엮게 되었다.

시대는 빠르게 변하고 있다. 21세기 중반으로 치닫고 있는 현대사회에서 시조가 대중문화로서 살아남기 위해서는 디지털 기술을 활용하는 스토리텔링과 함께 문화콘텐츠와 결합해야 하고, 현대시조로도 지속적으로 창작되어야 한다. 그리고 변화하는 과학기술과 함께 인공지능의 기술에 편승해야 현대를 살아가는 우리 젊은이들과 함께 소통할 수 있을 것이다. 이렇게 빠르게 변하는 시대를 맞이해서도 개혁과 변화를 수용하는 우리 민족과 우리의 시조 시인들은 시조에 대한 열정과 사랑을 가지고 우리 고유의 문학인 시조를 창작하면서 새롭게 발전시키고 있다.

2023년 문화콘텐츠의 글로벌화는 K-컬처의 새로운 역사를 쓰고 있다. 일본의 언론에서도 한국의 웹툰을 세계표준이라고 하면서 한국의 대중문화에 관심을 쏟고 있다. K-드라마와 영화도 빼놓을 수 없다. 글로벌하게 팬덤이 형성된 한류콘텐츠는 이제 한국산업에서 가장 성장 가능성이 큰 분야로 주목을 받고 있다. K-드라마에서 시작해 K-팝으로 확장하고, 이제는 뷰티, 패션, 음식, 웹툰, 게임, 의료, 관광 등으로 한류는 그 영역이 확대되고 있다. 글로벌 팬덤은 이제 한국의 대중문화에만 관심을 두지 않고 있다. 그 팬덤이 K-드라마에서 시작했든 K-팝에서 시작했든 이제 한국의 모든 문화와 생활에 대한 관심으로 확대되고 있다. 코로나 19의 위기에도 한류 팬덤은 더욱 진화하고 있다. 최근에 코로나 팬데믹으로 인해 대규모 콘서트, 스포츠 경기, 영화 및 공연 관람 등의 제한이 잇따랐지만, '비대면 콘서트'라는 새로운 개념을 채택한 한류콘텐츠는 여전히 강세를 보였다. 이처럼 한국의 한류문화는 세계와 함께 발전하며 그 위상을 높이고 있다.

이제 우리는 한류문화의 발전과 함께 전통문화의 긍정적인 계승을 위해서 우리 한글문학의 대표적인 정형시가 시조라는 사실을 세계에 알리고 선양해야 한다. 그리하여 한국의 전통문화인 시조가 세계 속에 새로운 한류의 K-문학으로 성장하도록 한국의 정부와 문화체육부도 관심을 가지고 창작과 연구의 활성화에 적극적으로 노력해야 한다. 그리고 새로운 문화콘텐츠와 인공지능의 기술이 함께하는 새로운 매체를 활용하여 다양한 기법으로 시조를 창작하여 세계 속에서 한국의 대표적인 전통문화인 선비문화를 선양하는 장르로서의 시조를 광고하고 홍보하여 21세기의 K-문학으로 성장시켜야 한다.

이 책은 이러한 문제들을 제기하면서 한글로 된 정형시인 시조가 올바른 선비정신을 표현한 전통문화로서 문화콘텐츠의 새로운 대안을 마련하는 작은 밀알이 되기를 희망한다. 겨자씨처럼 아주 작은 논리로 시조의 변화와 혁신적인 발전을 논의하기 시작했지만, 앞으로 씨앗이 뿌려진 후에는 모든 풀보다 커지고 큰 가지를 내어서 공중에서 날아다니는 새들이 그늘에 깃들일 만큼의 큰 숲으로 성장하길 기원한다. 그래서 한국의 정형시인 시조가 K-선비와 함께 K-문학으로 성장하여 미래의 한국의 선비문화와 전통문화를 이끌면서 오늘날 한류문화의 원동력이 되기를 희망한다.

지금까지 도와주신 부모님, 스승님, 형제, 친구, 그리고 가족들이 함께 있어서 즐겁게 학문을 할 수 있었다. 끝으로 항상 우리 가족의 건강과 행복을 염려하는 평생의 동반자인 아내가 교정을 도와주어서 그 고마운 마음을 함께 표시하여 간직하고자 한다. 그리고 최근 전염병의 팬데믹으로 시대의 환경이 변하고. 비대면 수업 등으로 인해서 어려운 출판사의 현실에서도 흔쾌히 이 책을 출판해주신 보고사의 김흥국 사장님과 편집을 담당한 선생님께도 감사를 드린다.

2023년 5월 1일

류해춘

목차

3장 사설시조, 사랑의 사회학과 대중예술

1장

시조문학,
인문학의 글로컬화와 선비정신

시조문학,
인문학의 글로컬화와 선비정신

한국의 인문학은 세계화(Globalization)와 지역화(Localization)가 접목하여 생겨난 글로컬화(Glocalization)를 주목하고 있다. 글로컬화는 "전 세계에서 개발하여 유통하는 문화나 상품을 지역차원에서 수용자나 소비자의 기호에 알맞게 변형하여 생산하고 소비한다."는 것을 의미한다. 세계화가 국가 사이의 상호의존성을 바탕으로 세계경제를 개방하고 통합한다면, 글로컬화는 인종, 언어, 문화, 정치 등을 고려하여 상호 이해하고 소통하며 상호간의 존중을 통하여 문화를 교류하고 확산시킬 수 있다는 입장을 견지한다. 글로컬화는 생산자와 수용자가 선택하여 세계화와 지역화의 전략을 함께 사용하는 것이다. 사실판단을 기본으로 하는 자연과학과 사회과학 그리고 과학기술의 학문이 세계화를 추구하여 국제성과 보편성을 획득한다면, 가치판단을 기본으로 하는 인문학은 세계화와 지역화를 함께 추구하여 창의성과 독창성을 획득할 수 있다.

오늘날 인문학은 인간다움을 왜곡하거나 억누르는 삶의 모든 조건에 대해서 비판하며 그 극복을 목적으로 한다. 그 목적은 역사의 진행 속에 자리하고 있는 시간의 좌표와 사회의 현실 속에 자리하고 있는 공간의 좌표를 입체화하는 과정 안에서 이루어진다. 인문학은 역사와 사회를 초월한 상황에서 정립되는 수학이나 기하학과 같은 자연과학과는 다르다. 우리 시대의 인문학은 세계시민의 다양성과 고유성, 자율성을 인정하고 이해하면서 자기와 다른 전통과 문화를 존중하는 세계화와 지역화를 융합함으로써 성립할 수 있다. 21세기의 특성인 세계화와 지역화의 전략을 바탕으로 한국의 인문학은 보편성을 지향하면서도 독창성을 지닌 미래의 인문학으로 나아가야 한다.

1. 지식으로서의 전통인문학

인문학은 삶의 지혜를 밝히기 위해 고전을 이해하고 비판하는 지식인의 학문이라 할 수 있다. 여기서는 각 대학에 설치된 문학, 사학, 철학 등을 기본으로 하며 순수인문학, 외국인문학, 대학인문학 등을 포함하고 아우르는 의미로 전통인문학을 사용하고자 한다. 20세기까지 전통인문학은 많은 문제점에 직면해 왔으면서도 그를 극복할 내부로부터의 혁신을 추구하지 못한 점이 있다.

전통인문학은 분과학문의 틀에 너무 오랫동안 안주해왔다. 이러한 인문학은 사회과학이나 자연과학 그리고 과학기술 등의 20세기의 주요한 지식생산 체계와 소통을 거부하고, 인문학의 특성인 인간정신의 이해에 대한 특수성을 고집하고 강조하면서 고립된 학문으로 존재하고 있다. 즉, 대화와 소통의 부재로 인해 전통인문학에는 사회과학, 자연과학, 과학기술 등의 발전에 대하여 소통하고 교감하면서 그 한계를 비판하는 능력이 부재한다고 할 수 있다.

　전통인문학은 그 정체성을 인간의 정신과정을 추상적인 관념이나
개별화된 표현으로 이해하고 해석하여, 인문학의 연구는 오직 글쓰
기와 원전독해를 통해서만 가능하다고 주장했다. 라틴어의 '후마니
타스'(Humanitas)는 중세의 종교적 세계관에서 비롯된 인간의 존엄
성과 자유에 대한 유린 현상을 극복하기 위해 고대의 이성적인 인간
관을 새롭게 정립하려는 과정에서 발생한 것이고, 독일에서 전개된
'정신과학'(Geisteswissenschaft)으로서의 인문학은 과학에 대한 반성
을 통하여 인간에게 존엄성과 자유를 제공하고 있다. 반면에 전통인
문학은 문자 그대로 '문자와 문학'을 실증적으로 분석하여 해석하는
것에 치우쳐 인문학과 연관된 가치관의 표현도 가치중립이라는 개
념으로 피해가는 고립적인 특성을 지니고 있다. 한국의 전통인문학
인 문학, 사학, 철학 등의 일부 학문은 현재까지도 관념화된 정신세
계와 문자의 이해나 그 표현의 특권만을 집중적으로 탐구하고 있다.
　전통인문학이 지닌 관념중심주의와 문자중심주의의 태도는 자연
스럽게 두 가지 경향을 고착시켜 왔다. 하나는 인문학을 사회과학
이나 예술로부터 분리시키는 경향이며, 다른 하나는 과학기술을 바
탕으로 한 미디어문화의 급속한 발전으로부터 인문학을 분리시키
는 경향이다. 이로 인해 예술과 사회과학 그리고 미디어문화는 인
문학과의 접촉면을 상실하게 되어 인간을 성찰하는 깊이를 상실하
게 되는 문화의 손실을 발생하게 했다. 이러한 현상은 현대사회의
지배담론인 미디어문화로부터 인문학을 고립시키는 악순환을 초래
하게 되었다. 전통인문학이 표현과 이해라는 인간과 세계에 대한
단순성을 가정하고 있었다면, 미래의 인문학은 전통인문학의 이해
와 표현을 바탕으로 하면서 인간과 세계에 대한 새로운 이해인 소

통과 융합의 복잡성을 더해야 한다. 그러므로 전통인문학은 과거의 이해와 표현이라는 단순성에서 벗어나 소통과 교류라는 복잡성을 지닌 현실세계로 방향을 전환할 필요성이 있다.

또 한국의 전통인문학은 인간주체성의 핵심을 이루는 비판정신과 생명존중 그리고 창조성과 독창성의 중요성을 규명하기 바빠서 사회발전과 변혁을 촉진하는 일에는 소홀히 했다. 그 이유는 20세기 과학기술과 실증주의 등의 위력과 그 영향 아래에서 인문정신이 자본의 위세에 눌려 위축되어 있었기 때문이라 할 수 있다. 실증주의와 과학기술의 영향으로 전문화하고 세분화한 인문학의 지식은 현실사회의 삶과 유리되어 존재하고 좁은 분과의 학문 영역 안에서 제기된 문제들을 전문화된 용어와 개념을 통해 이해하고 거기에서 그치고 멈추어 버렸다. 전문가로 자부하는 인문학자가 이룩한 자연과학의 기술자와 유사한 인문학은 인간사회의 이해와 비판이라는 애초의 목적에서 벗어나서 존재한다고 할 수 있다. 인문학이 전문지식의 생산자체에 목적을 두게 되면 그것은 인문학 스스로가 존재하는 의미를 지우는 자해행위라고 할 수 있다. 따라서 인문학자들은 스스로 인문학을 황폐시키고 현실사회와 고립시키는 주체가 되어버렸다.

앞으로 전통인문학은 전문인을 양성하는 인문학으로 대학이나 대학원에서 설치된 교과목을 혁신적으로 개편하여 학문후속 세대에게 희망과 꿈을 심어주는 학문이 되어야 한다. 교육과정의 혁신과 변화는 현대사회와 소통하고 공감하는 능력이나 문제해결 능력을 기르는 인문학의 교과목을 집중적으로 개발하여 인문학의 전문인이 현대사회와 공감하고 소통하는 능력을 기르는 인문교육에 초점을 맞추어야 한다.

2. 소통으로서의 대중인문학

최근 인문학은 대중과의 소통과 공감을 화두로 삼고 있다. 오늘날 우리의 생활수준은 향상되었지만 삶의 질은 오히려 저하되었다. 인문학의 필요성은 삶의 질을 향상시키고 사회갈등을 해소하는 방안에서 비롯한다. 우리는 의식과 문화가 총체적으로 위협받는 위험사회에서 살고 있다. 대중사회의 위기징조는 쾌락주의, 생명경시풍조, 물질만능주의, 집단이기주의, 예측불가능의 사회 등으로 도처에 널려 있다. 또, 위험사회의 징조는 급속한 도시화, 대중매체의 발달, 소득양극화 현상, 사회고령화 문제 등으로 현재에도 가속화되고 있다. 이처럼 위험사회의 징조로서 도처에서 일어나는 사회갈등에 대한 문제제기와 비판적인 성찰은 인문학의 중요한 역할이다. 대중사회의 갈등을 해결하고 사회의 통합을 이루는 과정은 인문학이 사회의 신뢰성을 공고하게 하는 과정이라 할 수 있다.

대중사회에서 인문학의 사회배제를 극복하는 방법에는 여러 가지의 접근 방식이 있다. 그 가운데 가장 효과적인 방법은 대중이 인문학과 가깝게 접근하도록 하는 것이다. 지식정보화 사회가 보편화되는 세계의 흐름 속에서 한편으로는 많은 대중들이 다양하고 수많은 지식을 학습하고 있다. 하지만 대중들은 허튼소리인 막말과 헛소리와 가짜로 된 정보와 황색의 뉴스를 걸러내고 신속하고 정확한 뉴스와 정보를 습득할 기회와 그 과정의 학습방법을 놓치고 있다. 대중들이 가짜뉴스와 거짓정보를 걸러내는 장치를 훈련받지 못했기 때문에 대중의 대다수가 주변인으로 전락할 가능성이 크다고 할 수 있다. 지금은 대중의 사회배제를 극복하고 사회자본의 형성과 실천을 아우르는 과정에서 필요한 것이 바로 대중인문학이다. 대중과 함께하는 인문학은 교육복지의 관점으로도 접근해야 한다. 평생학습이라는 사회장치 안에서 이루어지는 대중과 함께하는 인문학은 사회의 자본을 제대로 분배하여 사회배제를 극복하게 하고 양극화된 사회를 극복하는 동력을 제공할 것이다.

대학에서 전문성을 위주로 하는 인문학의 전공강좌의 수요가 현격히 줄어드는 상황과 대학 밖의 대중을 상대로 하는 인문학의 관련 교양강좌의 수가 늘어나고 있는 상황은 서로 대비가 된다. 대학 밖에서는 대중인문학의 영역에 속하는 교양인문학, 희망인문학, 시민인문학, 한류콘텐츠 등에 많은 청중이 모이고 있다.

인문학을 일반 대중들에게 좀더 친근하게 다가가서 확산하고자 할 때 그 기본 방향은 무엇인가? 진정한 의미의 대중화는 높은 의미의 전문성을 확보하고 행정조직이 지원하여 대중성과 연계하는 방향으로서 실천이 가능하다. 전문성과 대중성의 결합은 새로운 세대의 감수성과 사유방식을 반영해야 하지만 시대의 유행을 쫓아가는 지나친 경박성은 경계해야 한다.

인문학의 대중화 작업은 현대사회와 인문학의 소통과 공감이라는 측면에 초점을 맞추어야 한다. 2010년부터 우리나라는 '길 위의 인문학'이라는 인문학의 대중화 사업을 시행하면서 쉬운 인문학, 현장의 인문학, 생활 속의 인문학 등을 기치로 내걸고 있다. 기존의 인문학은 대중과 연결하기 위한 고리가 책이라는 단편적인 만남이었다. 이러한 한계를 극복하기 위해 이 행사는 책과 저자, 대중과 문화콘텐츠의 현장을 이어주는 입체적인 대중적인 인문학의 콘텐츠를 선보이고 있어 많은 관심을 끌고 있다.

대중들에게 인문학과 전통문화는 그저 있으면 좋은 것이 아니라 생존을 위해서 필요조건인 공통의 가치관이자 문화이고 가치가 있는 삶을 살기 위한 최소한의 조건이다. 오늘날 대중사회에서의 인문학과 전통문화는 사회갈등과 위험사회로부터 우리 사회를 더욱 안전하고 건강하게 지탱할 수 있는 인간 존중과 인간 사랑을 실천하며 소통하고 공감하는 현장으로서도 매우 중요한 문화콘텐츠라고 할 수 있다.

3. 지혜로서의 통섭인문학

21세기 지식정보화 사회에서는 복잡성이 증대하고 예측하기 어려운 위기가 빈번히 발생하면서 인문학과 사회과학 그리고 과학기술의 통섭에 관한 학문의 연구에 관심이 증가하고 있다. 이 분야에 대한 연구로는 그 방향성은 다르지만 기존의 도시인문학, 문화인문학, 미래인문학, 통합인문학, 경영인문학, 의료인문학, 진화인문학, 응용인문학 등으로 불리는 새로운 인문학의 영역을 계속 개척하고 있다.

전통인문학이 문학, 사학, 철학이라는 분과학문의 영역에 치우쳐 있었다면, 통섭인문학은 혁신적으로 사회과학, 자연과학, 과학기술 영역에 나타난 인문학과 관련된 범주로 그 영역을 확대하여야 한다. 한국의 인문학은 한국전쟁 이후 70여 년 동안 산업화와 민주화를 동시에 이룩한 놀라운 능력을 발휘하고, 1945년 일제로부터 독립한 후에 선진국들과 어깨를 나란히 하며 세계의 중심국가로 발돋움을 한 현재에 이르기까지 우리의 저력을 함께 서술하며 그 외연을 확대하여야 한다. 외연의 확대는 인문학이 자연과학, 사회과학, 과학기술 등과 부단한 대화를 통해 그동안 분리해온 자연과 인간, 인간과 사회의 불연속적인 단절을 연속적인 흐름으로 이어지게 만들며 능동적인 역할을 할 것이다. 통섭인문학은 자연과학과 사회과학 그리고 동양의 사고와 서양의 사고를 매개하면서 학문 사이의 통섭이 인간을 배제하는 기형적 방향으로 치닫는 현상을 막을 것이다. 그래서 인문학은 임계점에 이른 자본주의의 모순점에 대하여 대안적인 사회관계를 구성하고 발전시키는 동력으로 학문의 통섭을 선도하고 수렴하며 협업하는 학문이 되어야 한다.

현재까지 과학기술의 발전, 경영학을 비롯한 사회과학의 발전은 인류역사에 유례없이 강력한 기반시설을 구축했다. 이러한 기반시설 위에서 통섭인문학은 전통문화와 녹색사상을 새롭게 꽃피워야 하는 과제를 안고 있으며, 주변부로 밀려나 있던 인문학의 중요성을 깨달아 인문학을 중심으로 자연과학과 사회과학을 연결하는 매개체로서 새로운 학문전략을 수립해야 한다. 최근에 기업이 인문학에 관심을 갖게 된 이유는 '지식에 의한 생산'에서 '지혜를 기반으로 하는 인문경영'으로 변하고 있기 때문이다.

통섭인문학은 관계와 사이를 연구하는 학문으로 인간과 인간, 인간과 자연, 인간과 기계 사이의 관계를 바꾸는 접속장치의 혁명으로 인문학이 지닌 창의성을 더욱 발전시켜야 한다. 세계인들이 새로운 미디어인 스마트폰과 인공지능, 챗 GPT(Chat Generative Pre-trained Transformer) 등의 SNS(Social Networking Service)에 열광하는 이유는 첨단기술과 새로운 기능보다는 '단순하고 편하고 재미있는 것을 원하는' 인간이 지닌 본능으로서의 욕구인 인간의 감성을 만족시켰기 때문이다. 현대사회에서는 상품가치가 과학기술의 발전과 가격 차별화만으로는 경쟁우위를 점령하기 어려운 상황으로 나아가고 있다. 그 사이에서 인문학은 사회과학과 과학기술의 모순을 극복하는 문화가치로서의 새로운 돌파구를 만들 수 있다.

4. 생각은 세계로 행동은 지역으로

21세기를 세계화와 지역화의 시기라고 한다. 지역문화가 자본이 되고 상품이 되고 산업이 되는 시기라는 뜻이다. 이러한 시대에 뒤처지지 않기 위해서 한국인은 한국인의 시각과 함께 세계인의 시각을 지녀야 한다. 이때 우리는 '생각은 세계로 행동은 지역으로'라는 명제를 생각할 수 있다.

아직도 한국의 인문학과 전통문화에서는 세계에서 가장 한국적인 인문학과 전통문화로서 내세울 수 있는 대표선수로서의 인문학과 전통문화가 부재하고 있다. 최근에 문화예술 분야에서는 영화, 드라마, K-팝(대중가요), K-뷰티(미용), 한식, 한옥, 한글 등의 한류문화가 대중문화를 휩쓸고 있는 상황과는 정반대의 상황이다.

지금부터라도 정부는 대표적인 인문학의 분야를 선정하여 집중적으로 육성하여야 한다. 한국인의 시각으로 세계의 문화와 소통하고 교감할 수 있으며, 세계인의 시각으로 다가가 그들이 필요로 하는 문화로 공감할 수 있는 분야를 선정하여 인문학과 전통문화를 대표하는 브랜드로 육성해야 한다.

한국인이 연구하고 육성해야 할 인문학의 대표 브랜드로는 '선비정신과 그 문화'를 상정할 수 있다. 선비문화를 대표하는 인문학과 전통문화의 갈래는 시조문학과 가사문학 등이라고 할 수 있다. 앞으로 정부는 만시지탄(晩時之歎)이지만 한국의 전통문학인 시조문학과 가사문학 등을 집중적으로 육성하여 한다. 더욱이 한국의 전통적인 한류문화를 대표하는 선비문화의 브랜드로 시조문학을 선정하여 창작과 그 학문을 육성하고 지원해서 모든 국민이 즐겁게 향유하는 한류문화의 중심으로 발전시키고 성장시켜야 한다.

시조문학은 한국인의 정신과 정서를 가장 민족적으로 담아서 표현한 우리민족 고유의 정형시이다. 고려후기에 등장한 시조는 조선전기에 주된 시가의 갈래로 정착하였으며, 조선후기에 와서는 사설시조로 변모하여 지속하였다. 20세기에 들어와서는 현대시조라는 갈래로 진화하여 창작되고 있으며, 21세기인 지금에도 그 전통이 면면히 지속하면서 현대시조로 창작되고 있다. 이러한 시조문학은 민족고유의 정형시로서 매우 오래된 전통과 역사를 지닌 장르이며 우리 민족과 함께 해온 상생과 융합의 갈래라고 할 수 있다.

선비문화의 전통을 이어온 시조문학이 오늘날 융합과 상생 그리고 효율성을 중시하는 인공지능과 과학기술의 시대에 다른 학문이나 예술 분야와 경쟁하고 공존하면서 새롭게 상생할 수 있을까? 이 과제는 인터넷과 과학기술이 선도하는 가상공간과 현실공간 사이에서 문학과 예술을 전공하는 사람들에게 주어진 앞으로의 과제라고 할 수 있다. 시조문학은 한글로 된 유일한 정형시로서 아득한 과거로부터 오늘날까지 한국문학의 중요한 축을 담당했다. 21세기 이후에도 우리는 한국인의 주체성과 정체성을 지닌 시조문학과 선비문화를 창조적으로 발전시키면서 우리 사회를 융합과 상생을 지향하는 세계의 선진국으로 만들어서 지속시켜야 하겠다.

전통문학의 대표주자인 시조문학을 중심으로, 선비문화를 전통인문학의 대표주자로 육성하는 한국의 인문학은 세계인의 시각으로 한국의 선비문화를 바라보아야 하며, 한국인에만 국한된 시각을 탈피하여 세계인의 시각에 맞추어 선비문화를 홍보하고 광고하여야 한다. 한국의 전통인문학은 선비문화의 새로운 연구를 통해서 세계화한 한국인의 꿈과 희망을 전 세계에 전파하는 작업이 필요하다고 할 수 있다.

한국의 전통사회가 지닌 시조문학과 가사문학을 비롯한 전통적인 선비문화의 세계화는 현재 우리 사회가 지니고 있는 사회갈등과 사회모순을 문화의 힘으로 해결할 수 있다는 시대의 요구와도 일치한다. 동양의 전통사상과 녹색사상이 확산되면서 인간과 자연, 문화와 자연, 인간과 문화에 대한 서양의 분리주의의 사고에 큰 변화가 일고 있다. 현재 세계의 유수한 대학에서는 탈근대사상으로 인문학과 사회과학, 자연과학과 과학기술 등의 학문을 융합하여 함께 연구하고 있다.

21세기 현재, 학문의 융합과 통섭을 추구하며 탈근대사상으로 나아가는 인문학에는 전통문학인 시조문학처럼 선비문화에 예술 분야와 학문 분야가 함께 녹아있다. 이처럼 전통문학인 시조문학과 가사문학에는 동양(유교)과 서양(기독교)의 사상을 융합한 동학사상이나 유교와 불교 그리고 도교를 통섭하고자 한 선비들의 풍류정신이 온전하게 표출되어 있다. 그리고 시조문학과 가사문학 등에는 현대사회의 문화콘텐츠와 인공지능의 기술이 어울어져 생산적으로 연결될 수 있는 한국인의 전통문화가 다양하게 담겨져 있다.

　이러한 측면에서 한국의 전통사상에 대한 재논의와 재해석은 인문학의 생산적 재편을 위해서 시급하고도 필요한 과제이다. 결국, 한국의 인문정신과 전통문화를 대표하는 선비문화의 세계화는 지역화와 국가화라는 역설적인 면을 함께 지니고 있다.

2장

시조문학,
우리 선비의 참살이와 여가문화

시조문학과
봄철 사대부의 여가활동

1. 여가생활과 시조문학

오늘날 우리는 일 중심의 사회가 아니라 여가가 중심인 사회에 살고 있다. 우리가 여가생활에서 얻고자 하는 것은 무엇일까? 행복이라고 정의할 수 있다. 행복이란 일반적으로 삶의 다양한 측면에서의 긍정적인 태도나 느낌을 의미한다고 한다. 여가생활의 본질은 자아실현, 심신의 휴식, 활동을 통한 즐거움, 창조적 자유 및 기회 등을 추구하는 일이라고 할 수 있다. 여가생활은 인간 활동과 인류의 생활에 기여하는 역할이 크며, 건전한 레크레이션의 체험은 기본적인 욕구의 충족과 사회적인 책임의 완수, 그리고 충실한 삶의 영위에 도움을 주고 있다. 오늘날 현대인들은 관습과 규율 및 제도에서 벗어나 자신이 원하는 여가생활을 선택함으로써 자기발전과 자아실현으로 행복을 추구하고 있다.

여기서는 여가라는 단어의 의미를 잠깐 검토해보기로 한다. 여가(餘暇)라는 한자어는 전통적으로 여(餘: 여가, 말미)와 가(暇: 틈, 겨를, 여유)가 합쳐서 만들어진 말이다. 조선왕조실록의 경종실록에 "이미

거론한 글과 마찬가지로 백관이 각기 맡은 바 일이 있어 여가(餘暇)가 없다."[1]라는 문장에 이 여가(餘暇)라는 단어가 등장하고 있다. 조선의 왕조실록에서 여가(餘暇)라는 단어는 경종실록에 등장하는 한자어 1회 이외에는 '여가'라는 말이 거의 등장하지 않는다.

반면에 여가(餘暇)라는 단어와 비슷한 여유(餘裕)라는 단어는 조선의 왕조실록에서 비교적 자주 등장한다. 여기서는 조선의 왕조실록에서 여유(餘裕)라는 단어가 등장하는 문장의 하나를 검토하기로 한다.

> "가만히 보건대, 좌정승(左政丞) 하윤(河崙)의 지식(知識)은 고금(古今)을 통달하고 재주는 변통(變通)하는 데에 합당하여, 제작(制作)하는 일에 있어서 여유(餘裕)가 있다 하겠으나, 매양 법령(法令)을 만들어서 백성에게 반포하면, 백성들이 많이 불편하게 여기어 비방(誹謗)을 하고, 그 원망을 주상께 돌리오니, 작은 사고가 아닙니다."[2]

이처럼 조선초기의 기록인 『태종실록』에 여유(餘裕)라는 한자어가 등장한 이래로 여유(餘裕)라는 단어는 조선의 왕조실록에 7회 이상으로 자주 등장하고 있어서 여가보다는 여유(餘裕)[3]라는 단어를

---

1 『경종실록』 1권, 「경종 즉위년(1720) 6월 17일」, 참조. 旣有可據之文, 百官各有事, 餘暇無多,

2 『태종실록』 13권, 태종 7년(1407) 6월 1일(계미) 2번째기사, 참조. 竊見左政丞河崙, 識達古今, 才合變通, 其於制作之事, 可謂有餘裕矣. 然每爲法令, 以布於民, 民多不便, 起爲謗讟, 歸怨於上, 非細故也.

3 여기서 필자가 주장하는 견해는 '여가보다는 여유(餘裕), 여가활동보다는 여유활동, 여가생활보다는 여유생활, 여가문화보다는 여유문화 등의 용어를 사용하는 것이 더 적합하다.'는 내용이다. 앞으로 지속적으로 검토하고 연구해서 여가와 여가활동, 여가생활, 여가문화 등의 용어와 함께 더욱 적합한 용어인 여유, 여유활동, 여유생활

사용하는 것이 바람직하다고 여겨진다. 앞으로 학술용어로 여유, 여유생활, 여유활동 등의 용어가 함께 사용되기를 희망한다. 하지만 이 글에서는 이미 학술용어로 사용하고 있는 여가, 여가생활, 여가문화 등의 용어를 사용하고자 한다.

현대사회의 여가는 전통사회의 여가와는 의미상으로 많은 차이점을 지니고 있다. 여가와 여가생활이 이렇게 변한 이유는 사람들의 여유로운 생활인 여가가 각 시대의 사회, 정치, 문화, 경제 등의 변화를 반영하면서 그 의미와 내용에서 다양한 변화를 수용하였기 때문일 것이다.

조선시대 선조들의 일상생활은 노동과 여가로 나누어질 수 있는데, 이 시기에 여가를 마음껏 누릴 수 있는 공간으로는 자연환경을 포함하여 누정(樓亭)과 별서(別墅) 그리고 풍류방(風流房) 등이 있다. 이러한 공간에서 계절의 흐름에 따라 사대부들의 여가생활과 자기계발을 표현하고 있는 시조문학에서는 조선시대 우리 선조들이 일상생활에서 체험한 여가활동의 다양한 양상을 잘 나타내고 있다.[4]

인간은 노동과 여가를 반복하며 살아가고 있다. 어떤 사람은 여가보다 노동에 의미를 더 두는가 하면, 어떤 사람은 노동보다 여가에 의미를 더 두기도 한다. 21세기 현대사회는 노동에서 얻는 삶의

그리고 여유문화 등의 용어를 사용하는 문제를 함께 논의하고자 한다. 하지만 이글에서는 전문용어로 어느 정도 정착된 여가, 여가문화, 여가활동 그리고 여가생활 등의 용어를 사용하고자 한다. 아마도 여가(餘暇)라는 용어는 일본의 학자들이 번역하여 사용한 한자어(漢字語)의 전문용어로 보인다. 앞으로 이와 같은 어리석음에 벗어나기 위해서 우리나라의 학자들은 전문적인 학술용어를 사용함에 있어서 좀더 주체성과 정체성을 지닌 학술용어를 찾아서 사용하는 자세를 지속적으로 견지해야 할 것이다.

4 류해춘, 「사설시조에 나타난 여가활동의 양상」, 『시조학논총』 제21집, 2004. ; _____, 「시조에 나타난 가을철 사대부의 여가활동」, 『시조학논총』 제23집, 2005.

질보다는 상대적으로 여가를 통해서 얻는 삶의 질을 더욱 중요시하는 경향으로 변하고 있다. 여가활동은 여가의 시간, 생활, 상태 그리고 제도의 요소가 적절히 배합되어 복합적인 성격을 갖는다고 할 수 있다. 이에 따라 현대사회에 있어서 점차 복잡성을 띠고 있는 여가를 제대로 파악하기 위해서는 여가의 다면성을 포괄할 수 있는 개념의 정립이 필요하다.

우리나라에서는 상고시대부터 농경문화를 바탕으로 한 여가활동이 이미 뿌리내려져 있었다. 그 대표적인 여가활동으로 꼽을 수 있는 제천의식은 영고, 동맹, 무천 등의 농경의례를 통하여 나타나고 있다. 이때에 온 마을 사람들은 함께 모여서 며칠 밤낮을 노래와 춤으로 즐겼다고 한다.[5] 이런 여가활동은 삼국시대와 고려시대를 거쳐 조선시대에도 이어져 왔다. 조선시대에는 선조들이 자연을 대상으로 하여 여행, 사색과 명상, 시와 노래 등을 즐겼고, 서민들은 자신들이 경험한 사실을 탈춤이나 판소리 등의 예술로 승화시켜 즐겼다. 특히 조선후기 두레공동체는 마을과 마을끼리 집단놀이나 대동놀이를 통해서 피지배계층의 여가문화를 잘 보여주고 있는 증거라고 할 수 있다.[6] 이처럼 우리 민족은 시조가 유행했던 조선시대에도 여행, 민속, 음주, 가무 등의 여가활동을 하면서 생활하였다고 할 수 있다.

이렇게 여가활동을 즐기며 행복하고 여유로운 생활을 누린 우리민족의 모습은 당시 즐겨 불렀던 시조 작품집에 잘 나타나 있다. 선조들의 여가생활과 관련지어 논의하고자 하는 시조는 고려 말에서부터

---

5 『三國志 魏志(東夷傳)』, 참조.
6 임재해, 『한국민속과 오늘의 문화』, 지식산업사, 1994, 208-210쪽.

21세기 초인 현재에 이르기까지 700여 년에 걸쳐 창작되고 있는 점으로 보아, 우리 민족의 삶과 정서를 가장 잘 표출하는 한국의 대표적인 정형시이면서 우리의 여가문화를 설명하는 문학으로서도 중요한 위치를 차지하고 있다.

더욱이 고시조에서는 우리 선조들의 여가활동 경험을 다른 문학 갈래보다도 다양하게 담고 있다. 시조에 나타난 여가활동의 유형에는 개인의 휴식과 신체회복을 주제로 하는 작품, 개인의 일상적인 권태를 풀기 위해서 기분전환을 주제로 하는 작품, 그리고 개인이 자유로운 상태에서 자신을 초월하여 창조력을 키우고 발휘할 수 있는 자기계발을 주제로 하는 작품 등으로 나눌 수 있다.[7]

21세기 현대사회에서 유행하고 있는 참된 여가문화의 전통은 조선시대의 시조문학에서 찾아볼 수 있다. 우리의 전통문화인 시조문학을 통해서 오늘날 세상에 유행하고 있는 참살이와 여가문화를 연결시키는 작업은 우리의 삶에 새로운 시각을 열어 줄 것이다.

여가문화를 즐기는 인생은 참살이에서 행복을 찾아가는 것으로 자신과 가족의 건전하고 건강한 삶을 위한 투자라고 할 수 있다.

21세기 초반에 우리의 삶에서 여가활동의 한 요소로 자리잡은 웰빙(Well-being)이란 용어가 있다. 웰빙(Well-being)이란 참살이라는 용어로 번역하기도 하는데 우리의 토양에서 생산되는 자연스런 먹거리를 먹고, 건강을 위해서 노력하며, 질 높은 생활을 추구하는 것이라고 할 수 있다. 우리의 전통사회에서는 웰빙(Well-being)이라는 말이 사용되기 훨씬 이전에도 채식이나 생식을 선호하고 즐기는 사

---

7 J. Dumazedier, 『Toward a Society of Leisure』, The Free Press, New York, 1967, 14-17쪽 참조.

람들이 많았으며, 심신의 건강을 위해 요가나 참선을 하는 사람이 많았다.

오늘날 여가문화의 열풍은 국민소득이 3만불을 넘어가는 풍요로움의 상징과도 서로 연결되어 있으며, 각종의 언론에서 2002년부터 2023년인 현재까지 여가문화를 잘 활용하면 새로운 삶의 방향과 그 가치를 창출한다는 내용을 중심으로 빠르고 집요하게 선전하고 있다. 특히 한국의 언론과 미디어는 현재까지 지나치게 먹거리를 방송하는 기사와 콘텐츠에 치중하여서 그 분량의 엄청난 증가로 인해 소모적인 여가문화가 지닌 역기능의 현상[8]도 보여주고 있다.

여기서는 한국의 전통문화인 시조문학에 담긴 봄철의 여가활동[9]을 찾아내고 분석하여 우리나라의 선비들이 조선시대에 즐겼던 봄철의 여가문화를 검토하고자 한다.

해마다 새로운 봄철을 맞이하고 있는 우리는 진정한 여가활동과 그 문화를 위해서 새롭게 전통문화인 시조문학에 나타난 여가활동과 그 의미를 검토하여 보기로 한다. 시조문학에 나타난 여가문화의 내용은 물질의 가치나 명예를 얻기 위해서 노력하기보다는 신체와 정신이 건강한 삶을 추구하고 있다. 우리 현대인들은 이러한 우리의 선비들이 추구한 물질보다 정신이 행복한 여가활동과 그 문화를 통해서 진정한 우리의 삶을 모색해야 할 것이다.

여가활동은 여가의 시간, 생활, 상태 그리고 제도의 요소가 적절히 배합되어 복합적인 성격을 갖는다고 할 수 있다. 이에 따라 현대

---

8 김성곤, 『뉴미디어시대의 문학』, 민음사, 1996, 79쪽.; 조명환, 김희진, 『여가사회학』, 백산출판사, 2016, 73-75쪽.

9 류해춘, 「웰빙시대의 시조문학(봄철)」, 『시조세계』 25호, 2005, 136쪽.

사회에 있어서 점차 복잡성을 띠고 있는 여가를 제대로 파악하기 위해서는 여가의 다면성을 포괄할 수 있는 개념이 필요하다. 여기 서는 여가를 '개인이 가정, 노동 및 기타 사회의 의무로부터 자유로 운 상태 하에서 휴식, 기분전환, 자기계발 등의 사회참여를 위해서 활동하게 되는 시간'으로 정의하고자 한다.[10]

이 글에서는 시조에 나타난 사대부들의 여가활동이 오늘날 우리 사회에서 유행하고 있는 웰빙(Well-being)의 정신과 서로 상통한다고 보고 사대부들의 여가활동이 일상생활에 끼친 영향과 그 기능을 검토 하고자 한다. 이러한 시각은 시조에 나타난 우리 사대부들의 여가활동 양상을 밝혀봄과 동시에 바쁘게 살아가는 현대인들에게 느리고 여유 롭게 살아가는 사대부들의 지혜를 간접적으로 배우도록 할 것이다.

이제는 시조에 나타난 봄철의 여가문화를 검토하여 보기로 한다. 한국의 봄철에는 입춘(立春)과 우수(雨水)가 지나면 제법 봄기운이 돋아나며, 경칩(驚蟄)과 춘분(春分)이 되면 봄의 기운이 완연해 진다. 계절은 매년마다 어김없이 순환하여 우리들에게 해마다 새로운 봄 을 예고하고 있다. 이 글에서는 봄철을 소재로 하는 옛시조를 통해 서 우리 선조들이 즐겼던 신토불이(身土不二)의 자연스러운 음식, 건 강하고 소박한 삶, 그리고 정신적으로 행복을 추구하는 모습 등을 살펴서 진정한 의미의 참살이와 여가문화의 정신을 모색해 보기로 한다. 이러한 정신을 탐색하는 작업은 우리의 전통문화이면서 민족 의 정체성을 잘 지니고 있는 시조문학을 통해서 우리 민족이 지닌 여가활동의 다양한 모습을 찾아내는 작업이라 할 수 있다.

---

10 김광득, 『여가와 현대사회』, 백산출판사, 1997, 94쪽.

2. 봄의 정경과 삶의 재충전

그리스의 철학자 아리스토텔레스(B.C.384~322)는 "여가를 인간 행동의 목표이고 모든 행동이 지향하는 종착점으로 보아, 우리가 평화를 얻기 위하여 전쟁을 하는 것과 마찬가지로, 우리는 여가를 향유하기 위하여 일을 한다."[11]라고 하였다. 그는 자신이 여가의 존재이자 일생을 여가자로 지칭하고 평화와 자유스런 사고 속에서 사색하고 명상하여 예술을 창작하고 감상한다고 하였다.

건전한 여가활동은 한 개인의 부정적이고 왜곡된 편견과 태도를 긍정적이고 능동적인 태도로 변화시킨다. 여가활동은 그 본질이 삶의 즐거움과 일로부터의 해방감을 통해 인간에게 자기만족을 준다고 한다. 시조가 유행했던 조선시대에는 정치적인 불안정, 신분제의 동요 그리고 농경사회의 변화 등으로 우리 사대부들을 소외감, 복잡함, 왜소함 등의 억압 속에서 살아가도록 강요했다. 이러한 시기에 우리 사대부들은 여가활동인 놀이나 풍류 그리고 여행 등을 통해서 정서를 되찾고 마음을 안정시켰다. 또, 조선시대에는 누정, 별서, 풍류방 등의 공간을 통해서 여가활동을 비교적 활발하게 하였다. 여가활동의 중요한 요소는 기분전환을 통하여 현실 또는 상상의 세계를 열어 주어 사람들에게 기쁨을 주는 일이라 할 수 있다. 이러한 기분전환은 일에 억눌린 개인의 감정과 압박을 해소해주어 정신의 쾌적함을 유지하게 한다.

---

11 Aristotle, 『Nichomachean Ethics』, New York : Random House, 1948, 1104-1105쪽.; 천병희 역, 『아리스토텔레스 니코마코스 윤리학』, 도서출판 숲, 2013, 401쪽 참조.

어린 시절 우리는 "봄, 봄, 봄, 봄, 봄이 왔어요. 우리들 마음속에도 … "라는 동요를 부른 적이 있다. 이 노래처럼 봄은 우리들의 마음속에서부터 오는 것인지도 모른다. 얼었던 강물이 녹고 시냇가에 흐르는 물의 양이 많아지면 한국의 봄은 우리도 모르는 사이에 벌써 저만큼 다가와 있다. 이때 시냇가에는 얼음이 녹아 흐르는 봄물 붇는 소리와 함께 강가에 서있는 버드나무는 연둣빛 싹을 틔우고 사람들은 마음의 여유를 가지고 봄 마중을 하게 된다. 봄 마중은 마음의 여유를 가지게 하고 내일을 향해 재충전을 할 수 있는 중요한 시간이다. 삶의 질을 중시하고 개성적인 삶의 태도를 존중하는 21세기 지식정보화 사회에서도 이제 '쉰다는 것'은 중요한 요소이다. 우리 사회에서도 상춘(賞春) 행렬이라고 부르는 봄맞이 인파들은 사람에게 자유를 주고 생활에 활력을 주는 휴식문화로 자리 잡아 가고 있다.

간 밤에 불던 바람 봄 소식이 완연하다
부러운 것은 진달래요 푸른 것은 버들이라
아이야 나귀에 술 실어라 봄 마중 가자

작자 미상

이 작품은 완연한 봄바람 속에 진달래와 버드나무를 배경으로 하여 봄 마중을 하면서 삶을 재충전하고자 하는 화자의 모습을 보여주고 있다. 이처럼 휴식은 몸과 마음에 여유를 주어 삶을 풍요롭게 한다. 하루가 다르게 변하는 정보화 사회인 21세기를 살아가는 우리들에게 필요한 것은 위 시조의 화자처럼 봄철을 맞이하여 자연을 완상하며 편안한 휴식을 취할 수 있는 여유로운 마음가짐이 아니겠는가?

초장에서 화자는 봄바람 속에서 완연한 봄의 향취를 느끼고 있다. 지난 밤 남쪽에서 불어오는 훈풍(薰風)은 우리의 강산을 완전하게 봄빛으로 돌려놓고 있다. 여기서 화자는 지난 밤에 불던 바람의 흔적과 함께 다가온 봄의 모습을 봄밤에 실려 온 향기로운 마음으로 느꼈음을 알 수 있는 대목이다.

중장에서 화자는 활짝 핀 진달래를 부러워하며 푸른 버드나무를 묘사하고 있다. 진달래가 부럽다고 하는 표현은 화자의 설레는 마음을 실어서 나타내는 것이고, 버드나무가 푸르다고 하는 것은 눈에 비친 봄의 서경을 그대로 읊고 있는 것이라 할 수 있다. 여기서 화자는 진달래의 활짝 핀 모습과 버드나무의 푸르른 모습을 통해서 아름다운 봄을 묘사하고 있다고 할 수 있다.

종장에서 화자는 아이를 불러 나귀에 술을 싣고 봄 마중을 가서 삶의 재충전을 위한 휴식을 취하고자 하고 있다. 아마도 진달래가 피어 있으니 화자는 친구들과 함께 산으로 가서, 화전(花煎)놀이를 하면서 버드나무를 배경으로 하여 자연을 완상하며 봄의 정취를 마음껏 누렸을 것이다. 이 시조의 작가는 미상이지만 종장의 내용으로 보아 조선시대의 선비임을 짐작할 수 있다.

이러한 봄맞이 전통은 현대인들에게도 지속되고 있는 여가활동의 하나이다. 봄을 맞이하여 현대인들이 산수 유람이나 벚꽃 관광을 하면서 여행을 다니는 모습은 위 시조의 봄맞이 풍속을 계승했다고 할 수 있다.

최근 우리 사회에서 자연스럽게 번져가는 휴식문화는 단순히 놀고 마시는 소모적인 삶의 형태는 아니라고 할 수 있다. 건전한 휴식문화가 여가활동의 한 부분으로 자리를 잡아 가고 있으며, 가족과 함께 여유를 즐기는 바람직한 놀이문화로 발전해 가고 있다. 물질적인 풍요가 세상의 모든 것을 가져다준다는 물질만능주의에 대한 믿음은 심신을 피폐하게 만들고 자꾸만 무엇인가에 쫓기며 살고 있다는 느낌을 준다. 심신의 수련은 결국 행복해지기를 원하는 현대인들의 본능적인 다가섬이며 참된 나를 찾기 위한 노력이라고 할 수 있다.

> 우는 것이 뻐꾸기냐 푸른 것이 버들 숲가
>
> 어촌 두어 집이 냇 속에 들락날락
>
> 말가한 깊은 소에 온갖 고기 뛰노나다
>
> 윤선도(1587~1671)

위의 시조는 「어부사시사」 춘사(春詞) 넷째 수로서 봄의 정취를 통해서 삶의 재충전을 노래하고 있는 작품이다. 삶의 재충전은 개인의 삶을 여유롭게 하고 인성을 계발하여 우리 사회를 건강하게 한다. 각 개인이 삶의 재충전을 위해서 건전하고 창조적인 활동을 한다면, 우리 사회는 만족과 기쁨이 가득하고 즐거운 사회가 될 것이다. 봄철에는 특히 새로운 자연을 벗하며 편안하게 쉴 수 있는 시간이 상대적으로 많은 계절이라고 할 수 있다.

초장에서 화자는 뻐꾸기와 버들 숲을 노래하고 있다. 숲 속에서 들려오는 뻐꾸기 소리, 이것은 청각적으로 잡은 늦봄의 흥취이며, 저기 바라다 보이는 저 푸른 버들 숲, 이것은 시각적으로 잡은 봄의 경치라 할 수 있다. 여기서 화자는 봄의 모습을 시청각으로 묘사하여 표현하고 있다. 단순히 평면적으로 봄의 감흥을 느끼는 것이 아니라 입체적으로 봄의 감흥을 느끼고 그 점을 시청각적 효과로 표현하고 있다.

중장에서 화자는 어촌의 두세 집이 연기 속에 들락날락하고 있는 모습을 묘사하고 있다. 이 장에 나타난 연기는 밥 짓는 굴뚝의 연기일 수도 있고, 냇가에서 일어나는 안개일 수도 있다. 배를 타고 바다로 나가거나 언덕이나 산위에서 내려다보는 어촌의 모습은 정중동(靜中動)의 풍경화라 할 수 있다. 만물이 새로운 봄의 풍경을 감상하는 일은 피로하고 지친 사람에게 원기를 북돋워 주기도 한다. 내 삶을 즐겁고 건강하게 하기 위해서는 나태하고 지루한 생활의 반복을 피하고 신선하고 자극적이며 활기찬 생활을 해야 한다. 활기 넘치는 즐거움으로 바다에 배를 타고 나가거나 산위로 올라가서 마을을 내려다보는 일은 몸을 건강하게 하고 기분전환을 시켜서 삶의 활력을 충만하게 한다고 할 수 있다.

종장에서 화자는 물 맑고 깊은 소(沼)에 온갖 고기들이 봄을 맞아 뛰어 놀고 있다고 한다. 여기서 화자는 석양이 지기 시작하는 시간에 물속의 고기들이 뛰면서 놀고 있는 모습을 표현하고 있다. 화자는 바다에서 봄의 정취를 마음껏 즐기고 있다. 어촌에서 봄의 정취를 만끽하는 화자는 봄과 하나가 된 듯하다. 매연과 공해로 가득한 현대의 도회지 문명과 함께 살아가는 사람들에게는 어촌, 뻐꾸기, 버들 숲, 물고기 등이 어우러진 자연환경 속에서 살아가는 삶의 맛이 얼마나 건강하고 소중한 것인지 충분히 짐작할 수 있다.

봄철을 맞이하여 이렇게 시원하고 청량감 있는 바다나 숲 속에서 하루만, 아니 단 몇 시간만이라도 지내보면 정신이 개운해지고 숨통이 확 트이는 신비한 기분을 느끼게 될 것이다. 이만한 보약이 세상 어디에 또 있을까?

봄철을 맞이하여 진달래가 피고, 뻐꾸기가 우는 때에 아름다운 자연을 마음껏 거닐며 마을의 경치를 감상하며 즐겁게 거니노라면 몸의 활력이 충만해질 것이다. 우리들도 이 시조의 화자처럼 도심의 찌든 공기에서 벗어나 가끔씩 자연의 신선한 공기를 맡을 수 있는 봄의 향기가 나는 길을 걸어 보자. 깨끗하고 청정한 지역에서 뿜어 나오는 공기는 우리 몸 안의 혈액에 신선한 산소를 공급하고 음이온을 채워줄 것이다. 그리고 저녁에는 훈훈한 바람을 맞으면서 봄의 향기를 느낀다면 우리의 스트레스는 한꺼번에 날아가 버릴 것이다. 하루 종일 방안에 있기보다는 봄철을 맞이하여 밖으로 나가 자연과 함께 하면서 봄철의 아름다운 경치를 감상하는 일은 봄철에 우울해지거나 무기력해지는 이른바 계절성 우울증을 치료해주는 훌륭한 방법이 될 것이다.

이러한 시조에 나타난 여가생활처럼 인간의 생활에서 삶의 질을 한 단계 성숙시키는 능동적인 여가는 저절로 생기지 않는다. 여가활동은 단순히 쉼을 즐기거나 축 늘어져서 수동적으로 시간을 허비하는 데서 멈추는 것이 아니라 각자가 자신의 삶을 한 단계 끌어올려 능동적으로 삶의 지혜를 키워나갈 수 있을 때 이루어지는 것이다.

3. 천연의 먹거리와 건강한 삶

옛날부터 인간은 일을 끝내고 나면, 놀이나 여가활동을 통해서 건강을 관리해왔다. 그래서 학자들은 인간을 '놀이하는 사람'으로 규정하기도 하였으며, 인간의 문화는 놀이에서 시작하고 놀이로서 끝나는 것으로 평생 놀이를 통하여 인간의 문화가 형성된다고도 하였다.

현대사회는 경제성장으로 인해서 대부분의 기업들이 주5일 근무제를 채택하여 개인 생활뿐만 아니라 가족생활에도 많은 변화를 가져오게 되었다. 경제가 성장하면서 개인과 가족의 경제생활은 더욱 여유로와졌고 근로조건의 향상으로 근무조건에도 많은 변화가 일어났다. 그래서 현대인들은 주말에 여가를 즐기기 위해서 자연으로 관광을 떠나기도 한다. 노자의 『도덕경(道德經)』에는 무위자연(無爲自然)이라는 말이 있다. 사람과 자연이 서로 조화롭게 살아가야 하며, 사람과 자연이 하나라는 뜻의 가장 동양적인 표현이기도 하다. 서양에서도 루소(1712~1778)는 '자연으로 돌아가라'고 했다. 이처럼 동서양을 막론하고 근본정신이 자연으로 합일되고 있다는 점은 그만큼 자연스러움이 인간의 생활에서 중요하다는 것을 의미한다.

자연을 유람하고 관광하는 여가활동은 놀이의 핵심요소로 기본적으로 휴식을 통하여 생리적 리듬을 유지하게 하고 피로를 풀게 한다. 따라서 여가활동은 생명력을 돋우고 정신을 순화시키는 신체의 유지 기능을 지니고 있다. 즉, 여가활동은 피로한 육체를 풀어줌과 동시에 과로한 심신을 회복시켜 육체의 균형을 유지하는 데 기여한다고 한다고 볼 수 있다. 심신을 회복시켜 육체적 균형을 이루는 여가활동에는 놀이 못지않게 먹는 것에도 관심을 기울여야 한다.

여가생활을 즐기는 사람들은 고기를 대신하여 채소와 생선 그리고 유기농 식품을 선호하여 섭취한다고 한다. 이들은 명상이나 요가를 하면서 단전호흡, 멍때리기 등의 심신을 안정시키는 자연요법에 많은 관심을 갖는 등 몸과 마음의 건강을 유지하기 위해 부단히 노력하고 있다. 이들은 휴일이 되면 일, 도심, 스트레스 등에서 해방되어 유기농으로 음식을 만드는 맛집을 찾아다니면서 건강에 관련된 일련의 취미활동을 하고 있다. 그리고 연휴에는 자신을 위해서 철저하게 시간을 쓰면서 건강을 유지하기 위해 부단히 노력하는 사람을 우리 사회는 여가생활의 달인이라는 워라벨과 웰빙족이라는 신조어를 만들어내기도 하였다.

사람의 체질은 자신이 살고 있는 그 땅의 풍토와 같을 때, 즉 몸과 땅이 동질성을 유지할 수 있을 때 가장 건강하다고 할 수 있다. 요즘 건강을 위해 좋은 음식을 가려먹으려고 힘쓰는 사람들이 점점 늘어나고 있다. 현대인들의 대표적인 질병인 비만, 당뇨, 고혈압, 고지혈증 등은 잘못된 식생활과 운동부족 등에서 비롯되었다고 한다. 깨끗한 음식을 먹으면 몸이 깨끗해지고, 기름기가 많은 칼로리가 높은 음식을 먹으면 몸이 살찌기 마련이다. 요즘 건강한 삶을 추구하며 여가생활을 하는 사람들은 자연식을 하려고 하며, 친환경의 자연 속에서 생산한 먹을거리로 만든 음식을 먹으려고 한다.

'잘 먹고 잘 산다'의 의미는 무엇일까? 여가활동에서 음식이 가장 큰 관심거리인데 건강한 음식은 가까운 데에 있다. 여가활동에서 음식은 비싸거나 화려하기만 한 것이 아니라, 우리의 건강을 지킬 수 있는 음식이라고 할 수 있다. 재료는 유기농 야채가 기본이라 할 수 있으나, 건강한 음식이 반드시 유기농 음식을 뜻하지는 않는다. 전통을 중시하며 자연스런 방식으로 생산된 것이라면 육류, 해산물, 낙농제품을 포함하여 모두 건강한 음식의 재료라고 할 수 있다. 그러면 우리 사대부들이 즐거운 생활을 하면서 즐겨먹은 건강식을 시조를 통해서 살펴보기로 한다.

> 집 뒤에 고사리 뜯고 문 앞에 맑은 샘 길어
> 기장 밥 익게 짓고 산채갱(山菜羹) 푹 삶아
> 조석(朝夕)에 풍미(風味)이 족함도 내분인가 하노라

김득연(1555~1637)

위의 시조는 우리의 조상들이 먹거리 문화를 통해 보여주는 삶의 지혜가 담긴 작품이라 할 수 있다. 건강하게 살아가기 위해서는 제철에 나는 음식 재료를 이용한 식생활과 더불어 좋은 물을 마시는 일 그리고 잡곡밥을 먹는 것이 중요하다고 할 수 있다.

초장에서 화자는 집 뒤에 있는 산에 올라가 고사리를 뜯고, 문 앞에 있는 샘물을 길어서 음식할 준비를 하고 있다. 사람들은 봄철 음식의 진미를 보여주는 어린 고사리 순을 나물로 무쳐서 먹기도 하고 고사리를 꺾어 말려서 저장하여 일년 내내 중요한 나물로 쓰기도 한다. 약을 만들 수 있는 집에서는 고사리 순을 알맞게 말려서 약재로 만드는데 소화제나 이뇨제로 쓰는 경우도 있다고 한다. 그래서 화자는 봄철에 고사리를 캐려고 산으로 올라 갔다.

고사리와 맑은 샘의 물을 길어 만드는 음식은 우리의 전형적인 자연식의 유형이라고 할 수 있다. 화자는 문 앞에 있는 깨끗하고 차가운 샘물을 길어서 맛있는 음식을 준비하고자 한다. 건강전문가에 의하면 사람에 따라 다르지만 성인은 하루에 2리터 정도의 물을 마셔야 건강함을 유지할 수 있다고 한다. 좋은 물은 우리 몸에 쌓인 노폐물을 씻어내 주고, 신선한 영양분을 공급해주는 기본 영양분의

역할을 하며, 깨끗한 피를 생성해주는 작용을 한다.

중장에서 화자는 기장밥인 잡곡밥을 지어 먹고 산나물로 된 국을 끓여 마시는 모습을 묘사하고 있다. 건강하기 위해서 사람들은 산나물과 잡곡밥과 제철음식 등을 많이 먹어야 한다. 산나물은 봄철 깊은 산중에서 캐는 것이 가장 부드럽고 특유의 향을 잘 지니고 있어 맛이 좋을 뿐만 아니라 영양가도 높다. 또한 산나물은 섬유질을 많이 포함하고 있어 우리 몸에 필요한 기초영양소를 골고루 포함한 잡곡밥과 함께 먹으면 이보다 더 좋은 봄철의 건강식품은 없을 것이다. 잡곡밥과 산나물국은 단백질, 섬유질, 각종 탄수화물 등의 영양분이 풍부해서 우리들의 식사에서는 빠질 수 없는 봄철 건강음식의 보고라고 할 수 있다. 산나물국은 소화를 도와주는 기능을 함으로써 기장밥이나 잡곡밥에 아주 궁합이 잘 맞는 음식이라고 한다. 여기서 우리는 선조들이 지닌 음식 생활의 지혜를 엿볼 수 있다.

종장에서 화자는 아침저녁으로 자연에서 생산된 음식을 먹으면서 심신이 튼튼하고 건강한 삶을 영위(營爲)하며 살아가고 있다. 봄철에 아침저녁으로 기장밥을 먹고 산나물로 국을 끓여서 먹는 일은 현대인들에게도 건강한 다이어트 식품으로 으뜸이 될 수 있는 음식 재료라 할 수 있다.

이처럼 작가는 봄철의 산나물과 맑은 물, 그리고 잡곡밥을 통해서 봄철에 부족하기 쉬운 영양을 보충하고 있는데, 이는 옛날에도 우리 조상들이 제철에 나는 음식 재료를 잘 이용함으로써 올바른 먹거리 문화를 형성하고 있었음을 보여주고 있는 예가 된다. 우리 조상들은 봄이 되면 파릇파릇 돋아나는 봄나물과 산나물을 먹으면서 제철에 필요한 영양분을 섭취하고 있음을 알 수 있다. 우리 몸은 제철에 나는 식품이 몸에 잘 적응한다고 한다. 이 시조에서 화자는 봄철에 먹을 수 있는 별미 산나물 죽과 고사리, 그리고 기장밥을 먹으면서 제철에 필요로 하는 영양분을 공급받는 건강한 생활을 하고 있다.

우리 주변에 존재하는 재료로 음식을 만들어 먹고자 하는 또 다른 봄철의 시조를 살펴보기로 한다. 현대인들도 우리 시조의 작가들처럼 한 번씩 제철에 알맞은 별미음식을 먹는다면 건강한 생활을 할 수 있을 것이다.

강호에 봄이 드니 이 몸이 일이 많다
나는 그물 깁고 아이는 밭을 가니
뒷산에 싹이 긴 약초는 언제 캐려 하느냐

황희(1363~1452)

건강한 삶을 위한 음식의 재료는 우리의 자연에서 생산되는 것이라 할 수 있다. 식량이 부족한 농촌에서는 봄철이 다가오면 먹거리를 찾는 일이 중요했다. 봄이 되면 어른과 아이들이 모두 산과 들로 나가서 먹거리를 구해 와야 했다. 제철에 나는 음식을 먹기 위해 부지런히 움직이는 농촌의 모습을 위의 시조에서는 보여주고 있다. 농산물이든 수산물이든 제철에 나는 식품을 먹으면 완전한 식품에 가까워 몸에 좋다고 한다. 지난 겨울 동안에는 제철에 나는 나물도 먹기 힘들었고, 얼음이 얼어 물고기 잡기도 힘든 때라 어른아이 할 것 없이 심한 영양 불균형 상태에 놓여 있으므로. 봄철이 되면 부지런히 물고기도 잡고 밭을 갈아 곡식과 채소를 심어야 한다.

초장에서 화자는 농촌에 봄이 되니 자신의 일이 많아졌다고 한다. 봄이 오는 농촌에서는 겨우내 움츠렸던 우리의 몸을 움직여 많은 일을 해야 한다. 이러한 농촌의 사정을 사실적으로 묘사하고 있다. 이때 우리의 선조들은 시간을 내어서 여러 가지의 일을 해야 했다.

중장에서 화자는 고기잡이를 할 그물을 손질하고 아이에게는 밭을 갈도록 하고 있다. 시내에 나가 물고기를 잡는 일도 중요한 일과라고 할 수 있다. 고기잡이의 경험이 많은 어른들은 비교적 숙련된 노동자로 힘이 덜 드는 일인 그물을 기워서 고기를 잡을 수 있도록 준비하는 일을 하고, 아이는 힘이 들고 많은 체력을 요하는 밭갈이를 하고, 씨앗을 뿌릴 준비를 하며, 서로 분업을 하고 있다. 냇가에서 고기를 잡는 일을 천렵(川獵)이라고 하는데, 시냇가에서 잡은 고기로 매운탕을 끓여 먹으면서 겨울 동안 부족했던 영양분을 보충하며 여가를 즐기는 일은 우리의 인생을 윤택하게 한다. 그리고 아이는 밭을 갈아서 보리씨, 밀씨, 배추씨, 무씨, 호박씨, 오이씨 등을 뿌려서 천연의 먹거리를 준비해야 한다. 이러한 생활은 오랫동안 관습화된 우리 선인들의 삶의 지혜이며 오늘날의 시선으로 보면 건강하고 윤택한 삶을 준비하는 과정이라고 할 수 있다.

종장에서 화자는 철이 더 늦기 전에 뒷산에 있는 약초 뿌리를 캐야한다며 조바심을 내고 있다. 늦봄이 되어 잡풀이 길게 자라게 되면, 약초 캐기가 쉽지도 않고, 그 약효도 떨어진다고 한다. 산에는 칡, 더덕, 산도라지, 삽초뿌리 등의 귀한 약초가 있다. 이러한 약초들은 민간에서 건강식으로 향유했을 뿐만 아니라 필요할 때에는 한약재로도 사용되었다.

현대사회의 건강전문가들은 간식이나 별미로 햄버거, 피자, 치킨과 기름에 튀긴 식품을 먹지 않는 것이 건강을 위해 필요하다고 한다. 이런 식품들은 패스트 푸드로 오랫동안 보관하면 신선도가 떨어지는 특성을 가지며 불특정 다수의 소비자를 위해 대량으로 생산되는 식품이기 때문에 개인의 영양이나 건강에 대해서는 소홀하게 취급될 수밖에 없다. 이런 식품보다는 순수한 자연산인 우리의 콩이나 밀로 만든 죽이나 국수 등을 집에서 직접 만들어 먹는 것이 좋다고 할 수 있다.

이처럼 위의 시조에서는 화자가 봄철을 맞이하여 우리의 전통적인 농촌 생활을 통해 자연 속에서 생산된 물고기와 밭의 채소와 곡식, 그리고 산에서 생산되는 약초를 통해서 건강한 삶을 살아가는 지혜를 보여주고 있다. 조선시대 사대부의 삶은 전반적으로 오늘날처럼 물질적으로 풍요롭지 못했다고 할 수 있다. 건강을 생활화하려는 현대인들이 위의 시조처럼 자연친화적인 생활을 하면서 자연이 제공하는 천연식품을 섭취하는 농촌생활을 가끔씩 체험한다면, 정신적 스트레스가 훨씬 줄어들고 업무의 효율도 높아지며, 신체와 정신이 평화로워져서 즐겁고 행복한 생활을 하게 될 것이다.

4. 봄철의 여유로운 삶과 취미생활

오늘날 우리가 사용하고 있는 여가의 의미는 일반적으로 사람이 일상생활을 하면서 노동, 학업 등에 종사하는 사회적 필수시간과 수면, 식사 등 생리적 필수시간을 제외한 자유로운 시간이라 할 수 있다.[12] 이러한 여가에 해당하는 시간은 단순히 한가한 시간을 뜻하는 것이 아니라 안정, 휴식, 평화, 치유, 관광 등을 체험할 수 있는 시간이다. 여가생활을 통하여 자기를 계발하는 사람은 알고자 하는 지적 능력과 아름다움을 추구하는 미적 능력, 그리고 목표를 실현하고자 하는 창조적 능력을 동시에 소유하고 있다고 할 수 있다.

여가활동은 자유시간에 즐거움을 추구하는 자발적인 행동으로 사람이 휴식을 취하고 기분을 전환하여 노동을 열심히 하기 위한 활동으로 정의할 수 있다. 노동과 여가는 동전의 양면처럼 사람과 흙은 하나라는 신토불이(身土不二)라는 말처럼 육체와 정신의 건강을 함께 내포하고 있다. 우리 생활 주변에 흔하게 널려 있는 흙과 자연, 하찮아 보이지만 그 속에 엄청난 생명의 신비가 숨어 있다. 우리 주변의 산과 들을 거닐면서 건강한 육체와 맑은 정신을 통해 행복을 추구하며 취미생활을 통해서 여가활동을 하는 사람들이 점차 늘어가고 있다.

여가활동은 심신의 여유로운 삶을 통해서 건강한 생활을 하는 것을 말한다. '가장 인간답게, 가장 행복하게' 살기 위해서는 개인의 취미생활만큼 중요한 일도 없을 것이다. 하지만 현대인들은 눈코 뜰 새도 없이 바쁜 세상의 일에 쫓겨 자신도 경쟁과 속도의 노예가 되어 아등바등 살아가고 있다. 항상 바쁜 일에 쫓기다 보면 몸과 마음이 황폐해지기 마련이다.

오늘날 우리 현대인들은 남들이 생각하는 외형적인 삶보다는 자신이 스스로 행복해지는 내면적인 삶을 추구하고 싶어 한다. 즉, 불필요한 만남이나 시간을 과감하게 줄이고 자신만의 시간을 갖도록

---

12 문숙재 외, 『여가문화와 가족』, 신정, 2007, 16쪽.

노력하는 것이다. 현재 서울 근교에서 가족들과 함께 전원생활을 하는 사람들이 있다. 그들은 한결같이 복잡한 도시 생활과 오염된 공기에서 벗어나고 싶어서 자연과 함께 취미생활을 한다고 한다. 자연과 함께 그리고 가족과 함께 취미생활로 음악 감상, 미술관이나 전람회 관람, 분재나 난 키우기 등을 하면서 생활하는 것은 여유로운 생활이라 할 수 있다.

다음은 화자가 여가생활을 하면서 선비들의 절개를 상징하는 봄철에 매화향기를 노래하는 작품을 살펴보기로 한다.

> 매화 피었다거늘 산중에 들어가니
> 봄 눈 깊었는데 골짜기마다 한 빛이라
> 어디서 꽃다운 향내는 골골이서 나는가
>
> 작자 미상

매화는 난초, 국화, 대나무 등과 함께 사군자라고 하여 선비의 절개를 상징하는 꽃이다. 이른 봄에 추위를 무릅쓰고 제일 먼저 꽃을 피우는 매화는 동양에서 사군자의 하나로 손꼽히면서 절개를 지키는 꽃으로 전통적으로 선비들로부터 많은 사랑을 받았다. 이 작품의 화자는 추운 봄에 은은한 향기를 풍기면서 매화가 핀 산속을 여행하고 있다. 아직 골짜기에는 눈이 쌓여있는 가운데 피어나는 매화의 향기를 감상하는 것은 선비들의 건강이나 정서의 안정에 매우 좋은 역할을 했을 것이다. 매화의 향기는 봄의 전령사 역할을 했으며, 그 향기가 너무나도 아름다워 사람들은 매화의 향기를 신으로부터 얻은 자연의 향기라고도 했다.

초장에서 화자는 매화가 피었다는 소식을 듣고 산속으로 들어가고 있다. 매화는 선비들이 지녀야 하는 지조를 상징하는 꽃이다. 화자는 지조를 상징하는 매화를 만나기 위해서 산으로 발길을 옮기고 있다.

중장에서 화자는 봄의 전령사인 매화가 피었는데 꽃샘추위가 몰아 닥쳤는지 산속에는 아직 눈이 남아 있는 모습을 묘사하고 있다. 눈 속에 피어 있는 매화는 선비의 지조와 절개를 상징하는 것으로 더욱 아름답다. 눈이 골짜기에 쌓여있는데, 피어나거나 눈을 맞으면서 아름다운 향기를 뿜어내는 설중매(雪中梅)의 모습과 그 빛깔은 선비들의 모습을 상징적으로 표현하고 있다. 아마도 이 장에 표현된 매화는 초봄이라서 겨울철에 눈이 내린 뒤에 응달진 곳에서 아직 녹지 않은 상태에서 피어나는 꽃이거나, 내리는 눈을 맞으면서 피어나는 설중매를 노래하고 있다고 여겨진다. 화자는 골짜기마다 눈 속을 뚫고 피어나는 생명력이 강한 매화의 지조와 절개를 강조하면서 매화꽃의 아름다운 형상을 감상하며 여유로운 생활을 하고 있다.

종장에서 화자는 골짜기마다 매화꽃의 향기가 가득하다고 한다. 여기서 화자는 중장에서 눈 속에서 피어난 매화의 빛깔과 모습을 감상하고 난 후, 그 아름다움에 빠져 있다가 골짜기마다 풍겨나는 매화의 은은한 향기에 도취되어 있다. 누구나 산 속에서 매화의 은은한 향기를 만나면 마음이 안정되고 자신감이 생겨날 것이다. 이처럼 화자는 초봄의 눈 속에 만발한 매화를 통해 지조와 절개를 상징하는 선비정신을 되새기며 산속을 유람하면서 매화의 향기에 취하여 심신의 안정감을 회복하는 여가활동을 하고 있다.

그래서인지 현대인들은 집에서라도 봄철에 피는 꽃이나 매화를 길러 그 맑은 향기로 마음의 안정을 찾으면서 가정의 분위기를 바꾸는 취미생활을 하는 사람들이 많아지고 있다. 집안에 피어나는 꽃향기는 생활의 여유와 심신의 활력을 주는 역할을 한다. 다가오는 봄철과 함께 여유로운 삶과 건강한 생활을 위해서 우리는 가정에 꽃이나 매화향기로 각박하고 정서가 메마른 현대생활에 새로운 활력소를 불러 일으켜 즐거운 여가생활을 할 필요가 있다.

　봄철의 취미생활을 노래하고 있는 또다른 시조를 살펴보기로 한다. 현대인들은 취미생활을 하고자 해도 어디서 어떻게 해야 할지 막연하다. 또한 무엇인가를 배운다든가 취미생활을 한다는 것에 돈이 들어가는 점도 문제가 된다. 이럴 때는 취미생활을 하고 싶어도 부담스러울 수밖에 없다. 돈을 별로 들이지 않고는 취미생활을 할 수 있는 것으로는 꽃 기르기, 등산하기 등이 있을 것이다. 생활이 어렵고 힘들다는 태도를 버리고 취미생활을 하면서 인생을 즐기는 것도 중요하다.

　여기서는 꽃을 감상하는 방법의 하나로 국화꽃을 노래하고 있는 시조를 통해서 선비의 정신과 지조를 가다듬는 취미생활을 살펴보기로 한다.

　　한식 비갠 후에 국화 움이 반가왜라
　　꽃도 보려니와 일일신(日日新) 더 좋왜라
　　풍상이 섞어칠 제 군자절을 피운다

김수장(1690~?)

　취미생활로 꽃이나 식물을 키우는 일은 마음에 안정과 여유를 주는 것이다. 인생에서 즐거운 생활을 하는 일이 특별히 따로 있는 것은 아니다. 꽃이나 식물을 기르면서 마음의 평안과 자신만의 여유로움을 실천하는 것은 즐거운 생활을 위한 기초라고 할 수 있다. 우리 선조들은 꽃이나 나무 등을 키우는 취미생활을 통해서 일상의 단조로움을 깨고 새로운 생활에 활력을 불어넣으며 더불어 사는 삶을 실천하기도 했다.

초장에서 화자는 한식(寒食)이 되어 비가 개고 국화가 싹을 틔우니 반갑다고 한다. 한식은 동지(冬至)로부터 105일째 되는 날로 4월 5~6일쯤 된다. 이날 나라에서는 종묘(宗廟)와 능원(陵苑)에 제사를 지내고, 민간에서는 성묘를 하는 풍습이 있다.

중장에서 화자는 앞으로 꽃도 보게 될 것에 대한 기대감도 가져보고, 점점 잎이 돋고, 꽃이 피고 하는 등의 나날이 새로워지는 그 생명의 발전을 통해서 마음의 기쁨을 노래하고 있다. 꽃이나 식물을 가꾸면서 하루하루 새잎이 나고 그 자라나는 모습을 보면서 우리는 생명의 신비를 느끼게 되고 자신의 삶에 활력소를 얻게 된다.

종장에서 화자는 국화가 잘 자라서 매서운 바람이 불고 서리가 칠 때에 너 홀로 피어서 군자의 절개를 보여준다고 한다. 국화는 매화, 난초, 대나무와 더불어 4군자의 하나이다. 국화의 성장을 통해서 이 시조는 점층적으로 인생의 서사시를 쓰고 있다.

처음에는 새싹을 발견한 경이의 기쁨, 다음에는 하루하루 달라지며 그칠 줄 모르고 자라는 국화잎의 무성함, 마지막으로는 추위 속에서도 꽃을 피워 오상고절(傲霜孤節)을 자랑하는 군자의 절개에 비유하여 국화를 노래하고 있다. 국화를 기르는 취미생활에는 봄철부터 늦은 가을까지의 이와 같은 철학이 담겨져 있어 우리들에게 인생의 참된 의미를 깨우치게 한다.

우리의 속담에 "인내는 쓰고 열매는 달다."라는 말이 있다. 여가 활동을 잘 실천하려면 노력이 필요하며 힘들다는 인식을 해야 한다. 열심히 노력하지 않고 얻을 수 있는 것이 세상에서 무엇이 있겠는가? 최근 우리의 전통문화에 대한 관심이 부쩍 늘고 있다. 우리는 위의 시조에 나타난 선인들처럼 꽃과 식물 기르기, 등산하기, 매화 향기를 감상하기 등의 방법을 배워서 다가오는 봄철을 활기차게 보내도록 하여야겠다. 해마다 다가오는 봄철에 우리는 심신에 안정과 여유를 주는 취미생활과 여가활동으로 삶에 여유로움을 가져야 하겠다. 노동과 여가의 균형이 잡힌 생활을 통해서 오늘날 바쁘게 살아가는 현대인들이 더불어 사는 새로운 삶의 가치를 확인하는 자리가 되었으면 한다.

현대사회에서는 생존을 위해서 고군분투하던 시대가 지나갔다고 할 수 있다. 이제 어떤 삶을 살 것인가? '양'보다는 '질'로써 승부를 거는 시대, 이른바 '심신이 건강한 삶의 스타일'이 새로운 화두로 등장하고 있다. 현대인들은 물질적 가치나 명예를 얻기 위해 달려가는 삶보다는 마음의 여유를 지니고 정신이 건강한 친구들과 함께 삶을 즐기는 것을 행복의 척도로 삼는다.

오늘날 속도를 강조하면 강조할수록 저항이 더욱 강해지는 것은 물리학의 법칙이라 할 수 있다. 젊은이들은 속도의 여가활동을 무기로 한다. 속도의 여가활동을 무기로 하면 반드시 저항이 생기기 마련이다. 이에 비해 노인들은 느림의 문화를 생명으로 하고 있다. 21세기 초기부터 중반을 향해 달려가는 현재까지 우리 사회에서도 속도 위주의 경쟁이 너무 치열하여 지금은 느림의 문화가 자주 논의되고 있다. 그 이유의 하나는 빠르게 경쟁하다 보니 그 반작용으

로 나타나는 것이 느림의 문화라고 할 수 있으며, 다른 하나는 인간
이 자연스럽게 본질적으로 가지고 있는 속도를 이미 초월했기에 이
제는 자연의 본질로 돌아가자는 것이다.[13] 노후생활은 생활 그 자체
가 여가생활이라고 할 수 있으며 느림의 문화를 실천할 수 있는 기
회라 할 수 있다. 인간은 노후생활을 여유롭게 그리고 느리게 살아
가면서 여가활동을 어떻게 하느냐에 따라서, 그 사람 자신의 건강
은 물론 삶의 완성도도 달라진다고 할 수 있다.

5. 자연의 생명력과 삶의 재충전

인간에게 노동과 여가는 필수적이다. "누구에게나 자유 시간은 주
어지나, 아무나 여가활동을 할 수는 없다."[14]라는 말이 있다. 그만큼
여가가 노동을 위해서도 중요하기에 하는 말일 것이다. 노동과 여가
는 동전의 양면처럼 불가분의 관계에 있으며, 과거에는 노동을 위한
여가였다면 지금은 여가를 위한 노동을 중요하게 생각하고 있다.
이러한 시대를 맞이하여 우리의 사대부들은 어떻게 여가활동을 했
을까?

지금까지 우리는 봄철에 조선시대 사대부들이 자연의 생명력을
중시하고 건강한 삶을 살아가기 위해 보여준 참살이의 모습을 봄의
정경과 삶의 재충전, 천연의 먹거리와 건강한 삶, 봄철의 여유로운

---

13 윤은기, 「웰빙시대의 時테크」, 『웰빙과 여가문화』, 여가문화학회, 2004.6.10.

14 S.de Grazia, 『Of time, Work, and Leisure』, Doubleday & Company Inc., New York, 1964, 5쪽.

삶과 취미생활 등을 주제로 한 고시조를 통해서 살펴보았다. 고시조에 나타난 사대부의 여가활동은 삶의 여유와 깊이를 체험하기 위해서 제대로 놀고 건전한 여가생활을 즐기는 모습을 보여주고 있다. 현대인들도 봄철을 소재로 하고 있는 선비들의 시조에 나타난 것처럼 마음의 여유를 가지고 진솔하게 살아간다면, 육체적 건강도 지켜지고 정신적 삶도 풍요롭고 윤택해질 수 있을 것이다.

최근 들어 성공보다는 삶의 질을 먼저 추구하는 젊은이들이 크게 늘어나고 있다고 한다. 행복한 삶은 지극히 주관적이라서 계량화된 수치로 따질 수는 없는 것이고, 마음의 여유를 가지고 진솔한 벗과 교제를 하는 자연스러운 방법을 통해서도 즐기며 만끽할 수 있다.

매년마다 계절의 여왕인 봄철이 다가오고 있다. 우리는 일상의 바쁜 생활 속에서 짬을 내어 자연 속으로 회귀하거나, 우리가 살아가는 삶의 속도를 줄여서 여유로운 삶으로 가끔씩 전환할 필요가 있다. 현대의 여가활동은 단순히 물질의 가치와 성장 제일주의만을 추구하던 이전 세대와는 달리 개인주의의 가치관을 바탕으로 자연을 통해서 맑은 정신과 건강한 육체를 단련하기에 힘쓰고 있다고 할 수 있다. 우리들이 삶에서 중요하게 생각하는 것은 건강과 행복이다. 21세기를 살아가는 현대인들은 옛시조에 나타난 우리 사대부들의 삶의 양식을 본받아 물질보다는 선비정신을 중요하게 생각하면서, 여유로운 생활과 느림의 미학을 실천해서 건강하게 살아야 할 것이다.

인간은 자연으로 돌아갈 때 가장 편안해진다고 한다. 여가활동이란 신체적 건강과 정신적인 안정을 목적으로 하는 것이다. 모든 것이 속도의 경제와 '바쁘다 바빠'로 일관하던 한국 사회에도 최근에는 육체와 정신의 건강한 삶을 위해 느림의 문화가 나타나고 있다.

우리 사회에서 일어나는 느림의 문화는 속도의 문화에 대한 반작용
으로 일어나는 것이고, 우리 사회가 인간이 감당할 수 있는 속도의
문화를 초월했기에 나타나는 것이다.

주 5일제 근무에서 주 4일제 근무를 지향하고 재택근무가 늘어나고
있는 오늘날 우리 사회는 노동중심의 사회에서 여가중심의 사회로
이동하고 있다고 할 수 있다. 여가시간이 많아지고 여가문화도 다양해
짐에 따라 현대인들은 더욱 건강한 육체와 맑은 정신을 강조하는
여가생활을 추구할 것이다. 이러한 시기에 우리들은 우리의 옛시조에
나타난 여유와 느림의 미학에 바탕을 둔 여가활동에도 관심을 기울여
심신이 건강한 멋있는 여가활동을 즐겨야 할 것이다.

시조문학과
여름철 사대부의 여가생활

1. 행복한 삶과 여가활동

요즈음 여가문화를 즐기면서 취미생활을 하는 사람이 늘어나고 있다. 무더운 여름철이 다가오면 적절한 휴식과 여가활동이 우리의 삶을 즐겁고 윤택하게 할 것이다. 오늘날 우리 주변에서는 여가활동을 알차게 보내기 위해서 치밀한 계획을 세우고 있다는 말이 심심찮게 들리고 있다. 여가활동을 선호하는 사람들은 물질적 가치나 명예만을 얻기 위해서 앞으로 달려가는 삶보다는 육체와 정신이 함께 성장하고 발전하는 건전하고 건강한 삶을 행복의 척도로 삼고 있다.

여가생활을 획일적으로 정의하기는 쉽지 않다고 할 수 있다. 학자들은 시간개념으로서의 여가를 사람의 육체노동이나 정신노동보다는 어디까지나 주어진 자유시간 내에 행하는 활동과 의식대비의 시간적 요소로서 여가의 성격을 규명하는 작업에 중점을 둔다. 사람의 생활시간을 노동시간, 수면시간이나 생리적 시간, 자유시간 등으로 구분할 때 여가(餘暇)의 시간은 보통 하루 1일 24시간 중에서

수면시간이나 노동시간을 제외한 나머지의 자유로운 시간을 의미
한다. 이처럼 사람들이 생활하는 시간의 배분을 통해서 여가생활의
특성을 이해하는데 기초적인 틀과 이론을 수립할 수도 있다.

또다른 방법으로 학자들은 여가를 시간의 개념보다는 사람들의
일과 활동의 범주로서 인식하려고 한다. 일반적으로 사람들은 자유
시간이나 노동과 대립하는 시각에서 여가를 쉼과 휴식의 시공간으
로 여기고 있다. 여가생활과 대립하는 활동을 노동, 가정일, 생리적
활동, 가정과 사회의무, 학습시간 등이라고 규정할 수 있다. 여가를
인간이 자유시간을 활용하는 시공간의 활동 범주로 인식하려는 이
러한 시각은 일이나 노동의 의미보다는 개인의 마음이나 정신의 변
화에 따라 이루어지는 쉼과 휴식의 개념으로 여가를 규정하며 개념
을 정의하고 있다.

그래서 여가의 정의는 기본적으로 산업사회(産業社會) 이후의 개
념으로 정의하여 기술의 발전과 인권 강화에 의해 노동자의 자유시
간이 증가한 이후 주목을 받아 온 현상이라고 할 수 있다. 산업혁명
이후에 기계가 작업에 효율성을 더하자, 일반 노동자는 일주일에
20시간 이상이나 일을 단축할 수 있었다. 그에 더불어서 노동자들
은 노동시간 외의 구속되지 않은 오락, 이를테면 스포츠 행사나 연
극 등의 여가생활을 즐기게 되었다.

이 때문에 19세기 말부터는 여가와 레저(leisure)를 하나의 사회현
상으로 보고 많은 관심을 가지기 시작했다. 이러한 관점에서는 여
가를 개인이 노동과 가족 그리고 사회의 의무로부터 벗어나 휴식과
기분전환, 지식의 확대, 자발적 사회참여 그리고 자유로운 창조력
발휘를 위하여 자유로운 시간을 이용하는 임의적 활동 등의 의미로

설명하고 있다.[1] 그러므로 여가문화에 대한 현상을 학문적으로 다
루기 시작한 시기와 그 노력은 현대사회에 들어와서 가능한 일이었
다고 할 수 있다. 하지만 여가현상 그 자체는 인류가 지구상에 나타
난 선사시대부터 존재했으며 어쩌면 노동의 역사만큼이나 길다고
할 수 있다.

일반적으로 원시사회라고 불리우는 선사시대의 여가활동은 우상
숭배의 수단으로서 각종 의식(rituals)의 일부로 녹아있거나 부족의
단결과 사기를 고양하기 위해서 오락적 활동을 통해 미학적 쾌락을
통해서 나타났다고 할 수 있다. 이러한 현상은 동양이나 서양이나
다르다고 볼 수가 없으며 세계적인 현상으로 파악할 수 있다.

조선시대 선비들의 생활에서도 여가생활의 근원을 찾아낼 수도
있다. 이 시기의 선비들도 현실생활과 관료생활에서 자유로운 시간
을 활용하여 몸과 정신을 수련하고, 자연과 조화를 이루며, 삶의 행
복을 추구하여 왔지만, 특히 우리나라 조선시대 선비들이 현실생활
에서 어렵고 고약한 세상을 만나면 낙향이나 유배생활을 하면서 고
향이나 자연으로 돌아와서 여가생활을 마음껏 즐기면서 시조를 노
래하기도 하였다.

이처럼 한국의 조선시대 선비들은 고약한 세상을 만나면 산림이
나 고향으로 돌아와 시조나 가사 등을 지어 부르고 자연을 감상하
면서 사대부로서의 흥취와 인생을 노래하며 여가생활을 즐기기도
하였다. 조선시대 선비들의 일상생활은 노동과 여가로 나누어질 수
있는데, 이 시기에 여가를 마음껏 누릴 수 있는 공간으로는 자연환

---

1 곽한병, 『신여가문화론』, 대왕사, 2010, 24-25쪽 참조.

경을 포함하여 누정(樓亭)과 별서(別墅) 그리고 풍류방(風流房) 등이 있다. 이러한 공간에서 계절의 흐름에 따라 사대부들의 자기계발을 내용으로 하고 있는 시조문학에서는 조선시대 우리 선조들이 일상생활에서 체험한 여가활동의 다양한 양상을 잘 나타내고 있다.[2]

인간은 노동과 여가를 반복하며 살아가고 있다. 어떤 사람은 여가보다 노동에 의미를 더 두는가 하면, 어떤 사람은 노동보다 여가에 의미를 더 두기도 한다. 21세기 현대사회는 노동에서 얻는 삶의 질보다는 상대적으로 여가를 통해서 얻는 삶의 질을 더욱 중요시하는 경향으로 변하고 있다. 여가활동은 여가의 시간, 생활, 상태 그리고 제도의 요소가 적절히 배합되어 복합적인 성격을 갖는다고 할 수 있다.

이에 따라 현대사회에 있어서 점차 복잡성을 띠고 있는 여가를 제대로 파악하기 위해서는 여가의 다면성을 포괄할 수 있는 개념의 정립이 필요하다. 여가를 시간적으로 정의하는 것이 가장 일반적이라 할 수 있다. 개인이 자기결정의 상황 아래에서 재량껏 이용할 수 있는 시간을 여가활동으로 여기고 있다. 이러한 견해를 종합하면 여가(餘暇)는 '개인이 가정, 노동 및 기타 사회의 의무로부터 자유로운 상태 하에서 휴식, 기분전환, 자기계발 등의 사회참여를 위해서 활동하게 되는 시간'으로 정의할 수 있다.[3]

서양철학의 대표적인 학자인 플라톤과 아리스토텔레스는 인류의 역사에서 처음으로 여가, 놀이, 게임, 관광, 스포츠, 음식문화, 레

---

2 류해춘, 「사설시조에 나타난 여가활동의 양상」, 『시조학논총』 제21집, 2004.; _____, 「시조에 나타난 가을철 사대부의 여가활동」, 『시조학논총』 제23집, 2005.

3 김광득, 『여가와 현대사회』, 백산출판사, 1997, 94쪽.

크레이션 등에 관한 논리를 인간의 삶의 현장으로 끌어올려 여가활동의 의미를 정의했다. 두 철학자의 이론은 여가를 공론의 장으로 끌어올리면서 인간의 존재가치와 사회활동 그리고 정치활동에 대한 다양한 개념을 제공하는데 기여를 하였다. 그리고 재미있는 내용은 두 철학자 모두 교육과정을 설계하면서 놀이와 여가생활의 필요성을 강조하고 있다는 것이다.

두 철학자는 놀이와 교육이 인간이 지닌 신(神)의 영역으로 다가갈 수 있는 유일한 통로라고 주장하였다. 아이들의 자연스러운 성장과정에서 놀이와 여가는 절대적으로 필요로 하며 놀이를 통해서 신체적, 정신적, 사회적 기술을 습득한다고 주장하였다. 놀이와 교육은 궁극적으로 목표가 동일하다고 여겨서 교육 과정에서 놀이와 여가의 교육은 필수적인 것이라고 논리를 전개하였다. 이러한 관점에서 여가는 시간의 단위라기보다는 공간에서의 삶의 의미를 포함한 일상적인 삶과 생활의 일부 그 자체라고 생각하였다. 그래서 교육이나 노동 속에도 이미 즐거움을 주는 놀이적 요소가 있을 수 있고, 인간의 삶 속에서 그 자체로 즐거운 일상의 만족을 찾아내는 관점을 중요하게 여기게 되었다.

사람들이 훌륭한 인생을 영위하면서 사회에 봉사하는 삶을 살아갈 수 있는 가장 바람직한 길은 바로 놀이와 여가활동을 통해서 가능한한 것이라고 할 수 있다. 자기실현이라는 인간완성은 물질추구로부터 자유로운 상태가 되어야 가능한 것이라고 주장하였다. 그래서 인간은 놀이와 여가생활을 통해서 인간의 삶을 유머와 낙관주의로 채워가는 것이야말로 가장 가치있는 삶이라고 판단하였다.

플라톤이 이상주의자(idealist)라면 아리스토텔레스는 경험주의자

(empiricist)였다. 플라톤은 신(神)을 인간사에 중심에 두고 인간이 지닌 신의 모습을 따라서 생활하는 것이라고 주장하고 그 핵심에는 놀이가 있다고 판단하였다.[4] 하지만 아리스토텔레스는 신(神)을 인간사의 중심에 놓지 않았고, 인간의 삶은 행복(幸福)을 추구하는 데에 그 목적이 있다고 보았다. 행복은 보편적으로 추구해야 할 궁극적 가치이며, 인간의 가장 근원적이고 자연스러운 욕구의 대상이라고 판단하였다. 아리스토텔레스는 행복은 바람직한 삶의 산물이며 인간의 잠재력을 충분히 발휘할 수 있는 삶의 방식이라고 설명하였다. 이러한 행복을 성취하고 실천할 수 있는 방법은 바로 여가활동을 통해서 가능하다고 주장하였다. 왜냐하면 여가생활에는 본질적으로 건강, 선한 행동, 자기의지, 자기만족 등과 같은 행복한 가치가 포함되어 있다고 믿었기 때문이다.

이 글에서는 시조에 나타난 선조들의 여가활동이 오늘날 우리 사회에서 유행하고 있는 여가활동의 정신과 상통한다고 보고, 시조에 나타난 선조들의 여가활동을 여름철을 소재로 하고 있는 작품에서 찾아 그 특성을 살펴보기로 한다. 이러한 시각은 시조에 나타난 우리 선조들의 여가활동 양상을 밝혀봄과 동시에 바쁘게 살아가는 현대인들에게 느리고 여유롭게 살아가는 선조들의 지혜를 간접적으로 배우도록 할 것이다.

---

4 고동우, 『여가학의 이해』, 2007, 30-34쪽 참조.

2. 자연의 생명력과 건강의 유지

조선시대 우리 선비들은 노동을 끝내고 나면, 놀이나 여가활동을 통해서 건강을 관리해왔다. 호이징가(Johan Huizinga: 1872~1945)는 우리가 오랫동안 문화에 있어서 놀이가 갖는 중요성을 가볍게 여기면서 생활해 왔다고 주장했다. 사실, '놀 수 있다'는 것은 "정신을 가지고 있다는 것을 의미한다."라고 설명했다. 왜냐하면, 생존을 위한 움직임은 기계적 물리법칙을 따르는 것일 뿐이지만, '놀이'를 한다는 것은 물리법칙을 벗어난 그 이상의 정신활동이기 때문이다. 그래서 인간의 생활에서 그 삶의 진정한 의미는 '놀이함'에서 나온다고 강조했다.[5]

그는 『호모루텐스』라는 책에서 인간을 '놀이하는 사람'으로 규정하였으며, 인간의 문화는 놀이에서 시작하고 놀이로서 끝나는 것으로 인간은 평생 놀이를 통하여 인간의 문화를 학습하고 창조한다고 하였다. 그래서 인간의 문화는 곧 놀이일 뿐만 아니라 놀이는 새로운 문화를 창조한다고 주장했다.

오늘날 현대인들에게 삶의 질을 향상시키는 여가활동은 중요한 화두라고 할 수 있다. 21세기에 들어서서 산업화와 정보화사회로 진입하자 사람들은 노동의 소외와 근로의 불만족으로 인해 노동을 통해서 얻을 수 있었던 즐거움과 행복감을 더욱 박탈당하기 시작하였다. 과학기술의 진보와 작업의 분업화로 인한 노동의 세분화와 전문화는 인간을 기계에 종속되게 하였을 뿐만이 아니라 정신적 건강을 가중시키면서 스트레스를 증가시켰다.[6]

---

5 호이징가, 김윤수 역, 『호모루텐스』, 까치, 1993, 참조.
6 조명환 외, 『여가사회학』, 백산출판사, 2016, 70쪽.

이러한 상황에서 사람들의 여가활동은 단조로운 작업의 반복과 사회적 책임하에서 오는 일상의 압력을 기분전환을 통해서 해방시켜 주고 권태감이나 지루함을 해소시켜 주는 심리적 기능을 지니고 있어 주목을 받고 있다. 인간은 누구나 심신의 여유로운 삶을 통해서 건강한 생활을 하는 것을 목적으로 한다. 사람들이 '가장 인간답게, 가장 행복하게' 살기 위해서는 개인의 여가활동만큼 중요한 일도 없을 것이다.

오늘날 우리 사회에는 가족과 함께 전원생활을 통해서 여가생활을 즐기는 사람들이 현저하게 늘어나고 있다. 가족과 함께 하는 여가활동은 단란하고 서로 사랑하는 분위기를 조성함으로써 건전한 가정생활을 영위하는 데에 많은 도움을 준다. 현재 우리나라는 가족들과 함께 전원을 찾아가서 여가활동이나 전원생활을 하는 사람들이 늘어나고 있다. 전원생활은 복잡한 도시 생활과 오염된 공기에서 벗어나고 싶어하는 사람들이 새로운 일상생활을 찾아서 나선 기본적인 여가생활이라 할 수 있다.

다음의 시조는 자연과 함께 전원생활을 하면서 여가생활을 즐기는 화자의 모습을 보여주고 있다.

> 활 지어 송지(松枝)의 걸고 전통 비고 누어 쓰니
> 송풍(松風)은 거문고요 두견성 노래로다
> 아마도 산중(山中) 신선(神仙)은 나 쏜인가
>
> 작자 미상[7]

---

7 박을수, 『한국시조대사전』, 아세아문화사, 1991, 2078번 참조.

이 시조는 자연의 숲속에서 부는 소나무 바람을 맞으며 산림욕을 즐기고 있는 내용이다. 초장에서 화자는 활을 벗어서 소나무 가지에 걸어두고 화살통을 베고 누웠다고 하니, 산에서 사냥을 하는 전문적인 사냥꾼이 아니고, 시간을 보내기 위해서 사냥을 하는 것이라 할 수 있다. 중장에서는 소나무의 바람이 거문고의 소리처럼 불어오고, 멀리서는 두견새가 이에 화답하며 울어대는 한 여름철의 산속의 풍경을 그려내고 있다. 그래서 종장에서 화자는 자신의 모습이 더 이상 부러울 것이 없어서 자신이 바로 신선이 아니냐고 하면서 만족감을 나타내고 있다. 즉, 소나무 바람 속에서 자연과 더불어 살아가는 삶의 만족감과 신비로움을 표출하고 있다고 할 수 있다.

소나무가 우거진 숲에 가서 코로 깊숙이 들여 마시는 공기의 맛은 정말 진품이다. 매연과 공해로 가득한 도심 한복판에 살고 있는 사람이라면 그 맛이 어떤 맛인지 충분히 알 것이다. 그 청량감 있는 숲과 함께 하루만 아니, 단 몇 시간만이라도 지내보면 정신이 개운해지고, 숨통이 확 트이는 신선한 기분을 느끼게 되는데, 이만한 보약이 이 세상에 또 어디에 있을까 싶다. 돈 안 들이고 공짜로 마음껏 마셔도 되는 보약, 아무리 많이 마셔도 부작용도 탈도 없는 보약, 바로 신선한 공기라고 할 수 있다.

특히, 이 시조의 바람처럼 소나무 숲에서 불어오는 바람은 음이온이 가득한 공기이다. 음이온이 가득한 공기가 건강에 유익하다고 한다. 햇빛에 노출되는 신선한 공기는 그 일부가 이온화되는데, 이때 산소 분자는 음극이 되고 이산화탄소 분자는 양극이 된다. 밀폐된 공간에서나 환기가 잘 되지 않는 중앙집중식 통풍시설물 내에서는 양이온이 증가하게 되며, 이에 따라 두통, 현기증 또는 피로감을 쉽게 느끼게 된다. 반면에 음이온이 많은 공기는 나무가 많은 숲이나 바닷가 등 자연에서 찾을 수 있는데, 소나무나 전나무 등의 향기에는 사람의 생명에 활력을 주는 음이온의 성분이 많다. 현대인들은 이 시조의 화자처럼 가능한 한 야외나 산속으로 산보를 하면서 깨끗하고 신선한 공기인 음이온을 마음껏 마시면서 건강을 유지하는 것이 생활 속의 여가활동이라고 할 수 있다.

21세기 현대사회는 여가를 삶의 중요한 부분으로 인식하고 있다. 여가활동의 자기결정 체험이 정서적 안정 또는 스트레스 조절에 미치는 영향은 동서양의 모든 인류에게 육체와 정신의 건강에 중요하다고 할 수 있다. 서양에서도 루소(1712~1778)는 '자연으로 돌아가라'고 했다. 그리고 동양의 노자도 '무위자연(無爲自然)'이라는 말을 남기고 있다. 이러한 사상은 사람과 자연이 서로 조화롭게 살아가야 하며, 사람과 자연이 하나라는 뜻을 지닌 동서양의 공통적인 표현이기도 하다. 이처럼 동서양을 막론하고 여가활동의 근본정신이 자연으로 합일되고 있다는 점은 그만큼 자연이 중요하다는 것을 뜻한다. 우리 생활 주변에 흔하게 널려져 있는 흙과 자연, 하찮아 보이지만 그 속에 엄청난 생명의 신비가 숨어 있다. 시조와 가사를 창작한 선비들과 사대부들은 깊은 산속에 은거하면서 자신의 건강과 삶의 여유로움을 즐겼다.

따라서 자연과 함께 하는 여가활동은 정신을 순화시키고 피로한 육체를 풀어줌과 동시에 과로한 심신을 회복시켜서 신체의 균형을 유지하는 데 기여하였다고 할 수 있다.

山下에 여름이오 山上에 봄이로다
四月에 쇠치 피고 접동이 나제 우니
더욱 더 卜居한 곳 기픈 줄을 알래라

지덕붕(池德鵬, 1804〜1872)[8]

이 시조에서 화자는 산속에서 한가롭게 살아가면서 세월의 흐름을 잊어버리고 있다. 화자가 멍때리기로 시간을 보내고 있는 것 같아 보이는가 하면, 게으르게 삶을 낭비하고 있는 모습으로 비칠 수도 있다. 하지만 게으름과 멍때리기의 느낌은 다르다고 할 수 있다. 인간이 멍을 때리면서 잠깐의 휴식을 취하면, 기억력과 학습력 그리고 창의력에 도움이 된다는 연구도 있다. 게으름이 목적의식과 의미 부여가 없는 시간 흘려보내기와 시간 때우기라면, 편안한 명상과 멍때리기는 삶의 여유와 깊이를 느끼기 위해서 취하는 적극적인 삶의 한 형태라고 할 수 있다.

초장에서 화자는 산 아래는 여름인데 산 위에는 봄이라고 한다. 이런 점에서 볼 때 화자가 느리게 살면서 삶의 깊이와 여유를 누리고 있는 곳은 1,000m 이상이 되는 높은 산이라 할 수 있다. 지리산이나 한라산, 그리고 백두산 등의 높은 산을 초여름에 올라가면 산 아래는 여름철 녹음이 우거져 있는데, 산 위에는 봄철의 꽃이 피어 있는 것을 우리도 목격하게 된다.

중장에서 화자는 산의 정상에서 봄철에 꽃이 피는 모습과 접동새가 낮에 우는 모습을 구체적으로 표현하고 있다. 산의 정상에서 시

---

8 심재완, 『역대시조전서』, 세종출판사, 1972, 1460번 참조.

원한 바람을 맞으며 산새들의 우는 소리와 함께 여름철에 피는 산 정상의 봄꽃을 감상하는 기분은 계절을 초월하는 즐거움을 준다. 산의 정상 부근에서 관찰하는 자연의 절경과 아름다움은 인간의 마음을 안정시켜주는 여가활동이 된다. 종장에서 화자는 자연이 느리게 변하는 상황을 통해서 자신이 깊은 산속에 있음을 깨우쳐 삶의 여유를 마음껏 누리고 있는 것처럼 회상하고 있다. 이처럼 선비들은 깊숙한 산속에서 느리게 가는 계절을 벗으로 삼고, 여가생활로 등산을 하고, 명상과 휴식을 취하면서, 마음의 여유를 가지고 삶의 여유와 깊이를 노래하고 있다.

위에서 살펴본 시조의 화자처럼 마음의 여유를 가지고 깊이 있게 그리고 느리게 살아가면 인간은 육체적 건강이 지켜지고 인생이 즐거워 진다고 할 수 있다. '인자요산(仁者樂山)'이라는 말이 있다. 마음이 어진 사람은 자신의 마음을 고요하게 안정시켜야 하기에 움직이지 않는 산을 좋아한다는 의미일 것이다. 조선시대 선비들은 벼슬살이를 하다가 고약한 시절을 만나면 깊은 산골에서 들어가서 여가생활을 하면서 자신의 삶을 되돌아보거나 자신의 의지를 더욱 다지는 계기로 만들었다. 오로지 겸손하고 공경하며 진실하고 정성스러우며 꾸밈이 없고 담박한 생활을 하고, 자연을 완상하면서 건강한 생활을 하려고 했다.

이처럼 여가활동에는 긍정적인 측면이 존재하지만, 역기능도 함께 존재하고 있다. 과유불급(過猶不及)이라는 말은 '지나치면 오히려 미치지 못하는 것과 같다.'라는 의미이다. 현대인들이 여가활동을 통해서 행복을 추구하는 삶을 넘어서서 지나치게 쾌락을 추구하며 위험한 여가를 즐기는 역기능의 여가활동을 지양해야 할 것이다.

21세기에 와서는 성공보다는 삶의 질을 먼저 추구하는 현대의 젊은이들이 크게 늘어나고 있다고 한다. 정신과 육체가 건강하고 행복한 삶은 지극히 주관적이라서 계량화할 수 없지만, 자연 속에서 건강을 유지하며 마음껏 자연을 즐기며, 사계절이 순환하는 것처럼 인생과 자연이 순환하는 이치를 깨우치는 가운데서 우리의 삶은 성숙할 수 있다. 이렇게 조선시대 선비들의 담백하고 여유로운 여가활동을 참고하여, 오늘날 우리들의 여가활동을 쾌락보다는 행복을 실천하는 일에 비중을 두어 즐거운 여가생활을 실천하도록 노력하는 일이 중요하다고 할 수 있다.

3. 소박한 음식과 간결한 생활

여가활동은 식생활의 변화를 추구하면서 건강식을 찾아서 새로운 먹을거리를 찾아 나서는 작업을 통해서도 이루어질 수 있다. 건강을 중요하게 생각하는 현대인들은 서양식의 패스트푸드(fastfood)보다는 가정에서 어머니가 직접 차려주는 밥상인 슬로우푸드(slowfood)의 음식을 먹으면서 정서적으로 안정을 추구하려고 한다.

인간은 심리적이며 정신적인 동물이며 창조의 존재라고 할 수 있다. 여가활동의 진정한 가치는 새로움과 변화, 그리고 취미생활의 성숙과 발전 속에서 이루어진다. 여가활동을 통해서 얻어지는 건전한 정신과 건강한 신체는 인간의 안정된 마음과 자기계발을 촉진시킴으로써 인간이 인간다운 최대의 행복을 누릴 수 있게 해준다. 인간의 여가생활은 육체와 정신의 차원에서 무한한 인간문화와 가치관, 그리고 삶의 정체성과 창의력을 기르게 하는 요인 중의 하나라고 할 수 있다. 창의력을 통하여 자기를 계발하는 인간은 알고자 하는 지적 능력과 아름다움을 추구하는 미적 능력, 그리고 목표를 실현하고자 하는 창조적 능력을 동시에 소유하고 있다.[9]

인간의 성장은 연령에 따라 변화하는 모습을 보인다. 중장년기에 접어든 50세 이상의 도회지 사람들은 우리의 농촌과 어촌에서 생산된 농수산물을 먹으며 건강한 육체와 맑은 정신을 유지하려는 사람들이 점차 늘어가고 있다. 대중가수가 부른 노래에도 등장하는 '신토불이(身土不二)'라는 단어를 떠올리게 한다. 최근에 유행하게 된 이 단어는 사람과 흙은 하나라는 뜻으로 육체와 정신의 건강 이외에도 생명의 기원을 뜻하는 가장 동양적인 표현이기도 하다. 우리 생활 주변에 흔하게 널려 있는 흙과 자연이 하찮아 보이지만 그 속에는 엄청난 생명의 신비가 숨어 있다.

현대의 많은 사람들은 자신의 건강을 염려하고 있다. 그래서 건강한 삶을 추구하는 현대인들은 자연식으로 식사를 하고, 자기 방식으로 생활하여 스트레스를 받지 않으려고 한다. 식사를 할 때는 야채를 좋아하여 양푼에 채소를 가득 담고 고추장 없이 비빔밥을 만들어 먹거나, 유기농법으로 재배된 쌀, 채소, 육류 등으로 식사를 한다. 수많은 업무에 둘러싸여 눈코 뜰 새 없이 바쁘게 살아가는 현대인들은 자기만의 생활방식을 고수함으로써 스트레스를 많이 받지 않으려고 노력하고 있다.

---

9 강남국, 『여가사회의 이해』, 형설출판사, 1999, 86-96쪽 참조.

보리밥 풋ᄂᆞᆯ믈을 알마초 머근 後에

바회 ᄀᆞᆺ 믈 ᄀᆞ의 슬ᄏᆞ지 노니노라

그나믄 녀나믄 일이야 부룰줄이 이시랴

윤선도(尹善道)[10]

윤선도(1587~1671) 「만흥(漫興)」 둘째 수인 이 시조는 어지러운 세속을 벗어나 단순 소박한 음식을 먹고, 현실과 일정한 거리를 유지하여 자기만의 생활공간을 설정하여 즐기고 있다.

이 시조는 초장에서 소박한 음식인 '보리 밥'과 '풋나물'을 먹고 배고픔을 달랜다. 그리고 중장에서는 사람들이 많이 붐비는 장소와 담배연기가 자욱한 곳을 피하여 자연스럽고 친환경적인 바위 주변의 물가에서 여유를 즐기고 있다. 마지막으로 종장에서는 물가에서 노는 것과 소박한 음식을 먹는 것을 제외하고는 다른 일에 대해서는 관심을 가지지 않는다. 이처럼 작가는 소박한 음식을 먹고, 바위가 있는 물가에서 여유를 즐기고 자연과 함께 지내며 다른 일에 관심을 보이질 않고 마음을 차분하게 가라앉힌다. 즉, 부귀와 영화로운 삶을 던져버리고 자연을 마음껏 완상하며 자연의 넓은 품에 안겨 포근하고 간결한 생활을 하겠다는 작가의 본심을 표출하고 있다고 할 수 있다.

이런 측면에서 살펴보면, 사람들은 심신을 회복시켜주고 육체적 균형을 이루어주는 여가생활에서 놀이나 게임뿐만이 아니라 먹는 것에도 많은 관심을 가지고 있다. 인간의 필요와 욕구는 고정된 것

---

10 심재완, 『역대시조전서』, 세종출판사, 1972, 1261번 참조.

이 아니라 항상 변한다.

'행복하게 잘 먹고 잘 산다'는 것은 무엇일까? 오늘날 한국의 여가활동에서는 건강하고 튼튼한 삶을 살기 위해서 소박하면서도 자연친화적인 음식을 먹는 것이 가장 큰 관심거리이다. 여가활동에서 추천하는 음식은 비싸거나 화려하기만 한 것이 아니라, 우리의 건강을 지킬 수 있는 자연의 음식이라고 할 수 있다. 음식의 재료는 유기농 야채가 기본이라 할 수 있으나, 건강한 음식이 반드시 유기농 음식을 뜻하지는 않는다. 전통을 중시하며 자연스러운 방식으로 생산된 것이라면 육류, 해산물, 낙농제품 등을 포함하여 모두 건강한 음식의 재료라고 할 수 있다.

2000년대 우리의 여가생활에서 주목받았던 단어는 웰빙(Well-being)과 힐링(Healing)이었다. 그 중에서 사회 전반에 걸친 웰빙의 열풍은 놀랄 만한 수준이었다. 이러한 웰빙의 열풍은 물질적 부를 추구하는 현대 자본사회의 문제점을 인식하고, 육체와 정신의 건강을 통해서 행복한 삶을 영위하려는 사람들이 늘어나면서 생겨난 하나의 문화코드라 할 수 있다. 웰빙의 사전적인 의미는 행복(幸福)과 안녕(安寧) 그리고 복지(福祉)라는 뜻을 지니고 있다. 국립국어원에서는 웰빙이라는 말을 참살이라는 순수한 한글로 새롭게 단어를 만들기도 하였다.

웰빙을 추구하는 사람들은 고기 대신 유기농 식품을 먹고 패스트푸드(fastfood)보다는 가정에서 만든 슬로우푸드(slowfood)를 선호한다. 그래서 신토불이(身土不二)라는 단어와 함께 우리의 자연에서 생산되는 음식이 몸에 좋다는 말을 신뢰하면서 음식을 섭취하고자 한다. 신토불이라는 말은 '우리의 몸은 우리가 자란 자연과 분리될 수

없다.'는 뜻을 지닌 것으로, 자신의 고향이나 자신이 생활하는 지역
의 가까운 자연 속에서 생산하는 식재료를 가지고 만든 음식물을
먹으라는 의미의 말이다. 사람의 체질은 자신이 살고 있는 그 땅의
풍토와 같을 때, 즉 몸과 땅이 동질성을 유지할 수 있을 때 가장
건강하다고 할 수 있다. 요즘 건강을 위해 좋은 음식을 가려서 먹으
려고 힘쓰는 사람들이 점점 늘어나고 있다. 현대인들의 대표적인
질병인 비만, 고혈압, 당뇨 등은 잘못된 식생활과 운동의 부족으로
비롯되었다고 한다. 깨끗한 음식을 먹으면, 몸이 깨끗해지고, 기름
기가 많은 음식을 먹으면 몸이 살찌기 마련이다.

요즘 건강한 삶을 추구하는 사람들은 자연식을 하려고 하며, 우
리의 땅에서 생산된 먹을거리를 먹으려고 한다. 여기서는 우리 선
조들이 여가활동으로 즐겨 먹는 건강식을 주제로 하는 다른 작품을
살펴보기로 한다.

간 밤 오던 비에 압 닉희 물 지거다
등 검고 슬진 고기 버들 넉시 올닉고야
아희야 그물 닉여라 고기잡기 ᄒᆞᆻ셔라

유숭(俞崇, 1661~1734)[11]

일상의 주어진 일에 바쁜 나날을 보내던 선비들에게도 장마철이
다가오면 휴식의 기회가 생긴다. 조선시대 선비들은 여름철이 되어
홍수가 지고 나면 시내에 나가 천렵(川獵)을 즐기면서 고기를 잡아

---

11 심재완, 『역대시조전서』, 세종출판사, 1972, 74번 참조.

회를 떠서 먹곤 하였다. 홍수가 진 후에 마음을 함께 하는 친구가
찾아와서 고기잡이를 할 것을 제안하면 고마운 마음으로 받아들이
고 그 친구와 함께 시냇가로 고기잡이를 간다.

　이 시조는 시냇가에서 홍수가 진 후에 고기잡이를 하면서 즐거운
여름 한 때를 보내는 선비들의 모습을 흥겹고 즐겁게 표현하고 있
다. 초장에서 화자는 지난 밤에 내린 비로 인해서 앞 냇가의 물이
홍수가 났음을 말하고 있다. 홍수가 나게 되면 흙탕물이 내려감으
로써 고기들은 맑은 물을 마시러 시냇가 가장자리로 나오거나 시냇
가의 상류 쪽으로 움직인다. 이 시기에 고기잡이를 하면 매운탕과
자연산 회를 손쉽게 얻어서 마음껏 먹을 수가 있다.

　중장에서 화자는 버드나무의 잎이나 뿌리가 물 위로 떠올라 있는
곳에는 많은 고기가 있는 것을 발견하고 있다. 이런 곳에는 꺽지,
피라미, 은어, 붕어, 빠가사리, 버들치 등의 물고기가 있다. 이 시기
에 비가 와서 불어난 강물은 풍요로움을 나타내고 있으며, 선비들
에게는 매운탕이나 자연산 물고기 회를 마음껏 즐기며 영양을 보충
할 수 있는 기회가 된다.

　종장에서 화자는 아이를 불러서 그물을 가지고 오게 하여 고기잡
이인 천렵(川獵)을 하고자 한다. 갇힌 물위로 떠올라 있는 초목의 잎
이나 뿌리가 우거진 시냇가에 그물을 드리우고 물고기를 몰면, 고
기가 그 그물로 들어가게 된다. 이렇게 해서 잡은 고기로 선비들은
매운탕을 즐기면서 여름철에 부족하기 쉬운 단백질과 지방을 공급
받게 된다. 또, 물고기를 잡으면서 물에서 노는 일은 여름철의 여가
활동이면서 물놀이의 일환으로 물 위를 걷게 되는 힘든 운동을 해
야 함으로써 육체적으로도 건강해진다. 이때 선비들은 비록 고기잡

이라는 단순한 활동을 하지만 마음의 여유를 가지고 진솔한 마음으로 뜻이 일치하는 벗과 함께 인생을 즐기고 있다고 할 수 있다.

이 시조의 사대부들처럼 현대인들도 비가 내린 후에 강가에 나가서 여름철 고기잡이인 천렵을 하여 매운탕을 먹는 생활을 하면서 여가활동을 할 수 있다. 참살이라고 불릴 수 있는 행복한 삶은 지극히 주관적이지만, 제철에 나는 소박한 음식을 즐기면서 간결한 생활을 유지하는 방법을 통해서도 이루어질 수 있다. 여가활동을 즐기려는 우리들이 시냇가에서 고기를 잡는 생활을 가끔씩 한다면, 정신적 스트레스가 훨씬 줄어들고 업무 효율도 높아지고 건강도 몰라보게 좋아질 것이다. 그리고 정신과 육체를 치유(治癒)하는 상태로 이끌어서 힐링(healing)이 되며 편안해지고 매일 매일이 하루같이 즐겁고 상쾌해질 수 있을 것이다.

4. 마음의 여유와 진솔한 교제

여가는 무엇보다도 인간이 처한 여러 가지의 의무나 구속으로부터의 해방이라는 속성을 지니고 있다. 여가는 노동이 지닌 무엇인가를 꼭 해야만 한다는 당위성과는 구별하는 개념이라고 할 수 있다. 아리스토텔레스는 관조적인 삶을 중요하게 생각하여 "여가를 인간 행동의 목표이고 모든 행동이 지향하는 종착점으로 보아, 우리가 평화를 얻기 위하여 전쟁을 하는 것과 마찬가지로, 우리는 여가생활을 향유하기 위하여 일을 한다."[12]라고 설명하였다. 인간은 도덕적이며 훌륭하고 영광스러운 생활을 유지하면서도 때로는 진

부하거나 단조로운 생활을 벗어나고자 한다. 여가활동은 형식적 제
도적인 의무에서 자유로워야 하는 특성을 기본적으로 지니고 있다.
그래서 사람들은 자신을 여유로운 생활을 향유하는 여가의 존재자
이자 일생을 여가활동을 즐기는 사람으로 여기면서 평화스럽고 자
유스러운 생활 속에서 사색하고 명상하며 일과 여가를 즐긴다고 판
단할 수 있다.

　여가활동의 중요한 요소는 기분전환을 통하여 현실 또는 상상의
세계를 열어 주어 사람들에게 기쁨을 주는 일이라 할 수 있다. 이러
한 기분전환은 일에 억눌린 개인의 감정과 압박을 해소해주어 정신
적으로 쾌적함을 유지하게 한다. 따라서 건전한 여가활동은 한 개
인의 부정적이고 왜곡된 편견과 태도를 적극적이고 능동적인 태도
로 변화시킬 수 있다. 시조가 유행했던 조선시대에는 정치적인 불
안정, 신분제의 동요 그리고 농경사회의 변화 등으로 우리 선조들
을 소외감, 복잡함, 왜소함 등의 억압 속에서 살아가도록 강요했다.

　이러한 시기에도 우리의 선비들과 우리 민족들은 여가활동인 놀
이나 풍류 그리고 여행 등을 통해서 정서를 되찾고 마음을 안정시
키는 생활을 하였다. 오늘날은 옛날의 선조들이 살아갔던 시대처럼
생존을 위해 고군분투하던 시대는 아니라고 할 수 있다. 지금은 노
동보다도 여가가 중요한 시기가 되었다. 인간은 노동보다는 자유로
운 활동인 여가를 즐기면서 생활하기 위해서 필요의 대상인 도구를
창조하고 노동을 하기도 한다.

---

12 천병희 역, 『아리스토텔레스 니코마코스 윤리학』, 도서출판 숲, 2013, 401쪽 참조.;
　　Aristotle, 『Nichomachean Ethics』, New York : Random House, 1948, 1104-1105쪽
　　참조.

19세기 초기 자본주의 사회에서 노동자들의 노동시간은 사람들의 생체리듬을 파괴시킬 정도로 많이 연장되었다. 여기에 대해서 많은 학자들이 '문명화된 야만'이라고 비판을 하였다. 이러한 측면에서 산업사회가 발전하자 여가생활의 문제가 대중적인 관심사로 등장하기 시작하였다. 사회제도의 차원에서 여가활동과 여가생활의 문제가 대두된 것은 초기 자본주의의 시기에 노동시간이 극한적으로 연장됨에 따라 그 반작용으로 생겨났다고 할 수 있다.

주5일제 근무를 시행하고 휴가제도의 발달로 하루 24시간의 구조 속에서 여가시간은 첨차로 증가하게 되었다. 최근에는 주 4일 근무제를 시행하는 직장도 있는 것으로 보아, 앞으로도 여가시간은 점차로 더 늘어날 전망이다. 21세기 현대사회는 일 중심의 사회에서 여가 중심의 사회로 옮겨지고 있다. 즉, '양'보다는 '질'로써 승부를 거는 시대, 이른바 새로운 여가문화를 추구하는 삶이 현대인들의 화두로 등장하고 있다. 여가중심의 사회에서는 일상생활의 축이 변화하고 정치적으로 민주화가 이루어지고 문화적으로 균형발전이 이루어진다고 믿고 있다.

그래서 현대인들은 물질적 가치나 명예를 얻기 위해 달려가는 삶보다는 마음의 여유를 지니고 정신이 건강한 친구와 함께 삶을 즐기는 것을 행복의 척도로 삼는다고 한다.

> 내집이 器具업써 벗이온들 무어스로 對接홀이
> 압 내히 후린 곡이를 키야온 삽쥬에 숏고와 녹코
> 엇끄제 쥐비즌 술 닉엇씨리라 걸게 길러 내여라
>
> 작자 미상[13]

조선시대 선비들은 일상생활을 하면서 뜻을 같이하는 사람이 먼저 와서 사귈 것을 청하면 반드시 감사하는 마음으로 받아들였다. 벗을 사귀는데 사회적 지위나 집안 형편이나 개인의 재주가 자신만 못하다 하더라도 사양하지 않았다. 과거를 보아 벼슬을 하라고 권하는 사람은 벗이 아니고, 자신의 재주를 자랑하는 사람은 벗이 아니라고 주장하기도 하였다. 오로지 겸손하고 공경하며 진실하고 정성스러우며 꾸밈이 없고 담백한 사람을 진정한 벗이라고 했다.

이 시조는 가난한 선비가 마음의 여유를 가지고 벗이 오기를 기다리며 벗과 함께 소박하고 진솔하게 교유하는 모습을 담고 있다. 초장에서 화자는 자기 집의 가난한 모습을 없는 가재도구로 설명하며 묘사하고 있다. 벗이 와도 진솔한 교제를 할 그릇이 없는 찌들게 가난한 생활을 표현하고 있다. 그래도 화자는 중장에서 마음의 여유를 가지고 친구가 왔으니 앞 내에서 잡은 고기를, 캐 온 삽주나물에 섞어 놓고서 자연스럽게 맛있는 안주를 만들고 있다. 종장에서는 이제 갓 익기 시작하는 술을 걸러내어 친구와 진솔한 교제를 하고자 한다. 이처럼 선비들은 비록 가난한 살림이라 기름진 술안주와 맑은 술은 없지만, 마음의 여유를 가지고 진솔한 마음으로 뜻이 일치하는 벗과 교제를 하며 만족해하고 있다. 이 시조의 화자처럼 현대인들도 마음의 여유를 가지고 진솔하게 살아가면 육체적 건강이 지켜지고 자신의 삶이 윤택해진다고 할 수 있다.

노동시간 이외에 이루어지는 자유로운 여가활동은 노동으로 인해 지친 심신을 회복하는 기능을 함께 지니고 있다. 인생에서 삶의

---

13 박을수, 『한국시조대사전』, 아세아문화사, 1991, 834번 참조.

질을 한 단계 성숙시키는 능동적인 여가는 저절로 생기지 않는다. 이런 여가는 단순히 쉼을 즐기거나 축 늘어져서 수동적으로 시간을 보내는 데서 이루어지는 것이 아니라, 각자가 적극적인 자세로 자신의 삶을 한 단계씩 끌어올려 삶의 지혜를 키워나갈 수 있을 때 이루어지는 것이다.

우리들도 이 시조의 화자처럼 도심의 찌든 공기에서 벗어나 가끔씩 자연의 신선한 공기를 맡을 수 있는 여름의 향기가 나는 길을 걸어 보자. 여름철을 맞이하여 녹음이 우거지고, 시원한 시냇물이 흘러내리는 산과 들을 거니노라면 몸의 활력이 충만해질 것이다. 깨끗하고 청정한 지역에서 뿜어 나오는 공기는 우리 몸 안의 혈액에 신선한 산소를 공급하고 음이온을 채워줄 것이다.

그리고 저녁에는 시원한 바람을 맞으면서 모깃불의 향기를 느낀다면 우리의 스트레스는 한꺼번에 날아가 버릴 것이다. 하루 종일 방안에 있기보다는 여름철을 맞이하여 밖으로 나가 논밭에서 땀을 흘리면서 여름철을 보내는 일은 여름철에 우울해지거나 무기력해지는 이른바 계절성 우울증을 치료해주는 훌륭한 방법이 될 것이다.

이러한 여가활동은 현대인들에게도 세련된 의식과 태도를 지니게해주며 새로운 활력의 충전과 새로운 경험의 축적 그리고 충만한 인생의 행복과 기쁨을 느끼게 해주어 우울증을 치료해준다고 할 수 있다.

> 도롱이예 홈의 걸고 쏠곱은 검은쇼 몰고
> 고동플 뜻머기며 깃믈ᄀᆞᆺ ᄂᆞ려갈제
> 어듸셔 ᄑᆞᆷ진 벗님 홈ᄭᅴ 가쟈 ᄒᆞᄂᆞ고

위백규(魏伯珪, 1727~1798)[14]

위백규(1727~1798)의 작품인 이 시조는 화자가 여름철 비가 오는데 소를 몰고 집으로 돌아오는 중에 냇가를 내려가면서 친구를 사귀는 모습을 표현하고 있다.

이 시조의 초장에서 화자는 비가 오는데 도롱이를 입고 호미를 가지고 뿔 굽은 검은 소를 몰고 집으로 돌아오고 있다. 그리고 중장에서 화자는 검은 소가 배불리 풀을 먹지 않았는지 고들빼기라는 풀을 먹이며, 비가 내려서 물이 붇고 있는 시냇가를 내려가고 있다. 마지막으로 종장에서 화자는 물이 불은 시냇가에서 등짐을 진 벗님이 함께 건너자고 하는 소리를 경청하고 있다. 물이 불은 시냇가를 건널 때에는 서로 협동하여 건너야 한다. 아마도 화자는 물이 붇고 있는 시냇가에서 등짐을 진 벗을 도와서 함께 물을 건널 것이다.

이처럼 작가는 작품에서 소박한 도롱이를 입고, 해야 할 들일을 비 때문에 일찍 마치고, 귀가하면서 친구의 어려움을 보살피면서, 담담하게 동양화 한 폭을 그려내듯이 그 상황을 서술하고, 큰 물로 불어난 냇가를 건너서 귀가하고 있다. 즉, 이 시조는 생활의 현장인 전원의 논밭과 자연에서 빠르고 바쁜 생활보다는 여유롭고 차분한 삶을 노래하고 있으며, 자연의 이치를 터득하면서 친구와 함께 세상을 살아가겠다는 진솔한 교제와 마음의 여유로움을 표현하고 있다.

위의 시조에 나타난 선비들의 여유로운 생활처럼 비오는 날의 농사짓기, 천천히 걷기, 소먹이기, 고기잡이 등의 방법을 훈련하고 배워서 여름철을 활기차게 보내도록 하여야겠다. 최근에 우리의 전통문화에 대한 관심이 부쩍 늘어나고 있다. 현재 우리 사회에서는 '양'

---

14 심재완, 『역대시조전서』, 세종출판사, 1972, 855번 참조.

보다는 '질'로써 승부를 거는 시대, 이른바 참다운 '여가문화'가 새로운 화두로 등장하고 있다. 현대인들도 우리의 선비들이나 사대부처럼 물질적 가치나 명예를 얻기 위해 달려가는 삶보다는 마음의 여유를 지니고 정신이 건강한 친구와 함께 삶을 즐기는 것을 행복의 척도로 삼고 있다.

산업사회에서 노동시간의 급격한 증가는 그 반작용으로 여가시간의 급속한 증가를 가져오게 하였다. 일상생활에서 속도를 강조하면 강조할수록 그 저항이 더욱 강해진다. 이것은 물리학의 법칙이라고 할 수 있다. 나이든 사람이 젊은이들처럼 빠른 속도의 여가활동을 무기로 하면, 반드시 저항이 생기기 마련이다. 젊은이에 비해 노인은 느림의 문화를 생명으로 하고 있다. 21세기 우리 사회에서는 속도 위주의 경쟁이 너무 치열하여 오히려 느림의 문화를 추구하며 여유로운 생활에 관심을 지니고 있다. 그 이유의 하나는 빠르게 경쟁하다 보니 그 반작용으로 나타나는 것이 느림의 문화라고 할 수 있으며, 다른 하나는 인간이 자연스럽게 본질적으로 가지고 있는 속도를 이미 초월했기에 이제는 자연의 본질로 돌아가자는 것이다.[15]

이에 따라 여가생활은 개인의 자유선택과 여유로운 시간의 증가가 집약되어 나타나는 영역으로서 사회가 발전하고 진보하는 실질적인 증거라고 할 수 있다. 노후생활은 생활 그 자체가 여가라고 할 수 있으며 느림의 문화를 실천할 수 있는 기회라 할 수 있다. 노후생활은 여유롭게 그리고 느리게 살아가면서 여가활동을 어떻

---

15 윤은기, 「웰빙시대의 時테크」, 『웰빙과 여가문화』, 여가문화학회, 2004.

게 하느냐에 따라서 그 사람 자신의 건강은 물론 삶의 완성도도 달라진다고 할 수 있다. 여가시간을 잘 활용하는 일은 노후생활을 새로운 여가활동과 여가사회로 나아가는 역사와 신화를 완성하는 지름길이라 할 수 있다.

5. 자연의 생명력과 느림의 미학

사람의 풍요로운 경제생활은 곧 여가활동의 수요로 이어진다. 여가활동은 개인적으로 심리적 정서적 안정을 주는 데에 영향을 미치며 원만한 인간관계를 유지하고 촉진하는데에 도움을 주고, 새로운 생활양식을 접하게 하여 사회 전체의 질적 향상에도 영향을 미친다고 할 수 있다. 과거에는 노동을 위한 여가를 중요시하였다면, 지금은 여가를 위한 노동을 중요하게 생각하고 있다. 이러한 시대를 맞이하여 고시조에 나타난 우리 선조들의 여가활동을 살펴보는 것은 중요하다고 할 수 있다. 지금까지 우리는 고시조에 나타난 우리 선조들의 여름철 여가활동을 살펴보았다.

우리 선조들은 성숙의 계절인 여름철에 여가활동을 통해서 자연의 생명력을 중시하고 건강한 삶을 살아가고 있었다. 여기서는 여름철을 소재로 한 시조작품에 나타난 여가활동의 요소를 몇 가지 찾아서 분석하였다. 여름철을 다루고 있는 시조문학에서 보여주는 참된 삶의 모습은 선비들이 심신의 수양을 통해서 느림의 미학으로 익숙함에서 오는 여유로운 삶을 통하여 보여주고 있다. 이들 작품에서 선비들이 가장 중요하게 생각하는 점은 물질보다 정신을 중시하고 천천히 느림의 미학을 여유롭게 실천하는 생활이라 할 수 있다.

지금까지 살펴본 시조에 나타난 여름철 여가활동의 유형은 여름철의 자연의 생명력과 건강의 재충전을 주제로 하는 작품, 소박한 음식과 간결한 생활을 주제로 하는 작품, 그리고 마음의 여유와 진솔한 교제를 주제로 하는 작품 등으로 나누어진다. 고시조에 나타난 선비들이 체험한 다양한 여가활동의 양상은 삶의 여유와 깊이를 체험하기 위해서 제대로 놀고 건전한 여가활동을 즐기는 모습을 보여주고 있다. 현대인들도 여름철을 소재로 하고 있는 시조에 드러나는 선조들의 생활처럼 마음의 여유를 가지고 진솔하게 살아간다면, 육체적 건강도 지켜지고 정신적 삶도 윤택해질 수 있을 것이다.

최근 들어 성공보다는 삶의 질을 먼저 추구하는 젊은이들이 크게 늘어나고 있다고 한다. 휴가제도가 발달하였다고 하지만 현대사회에서도 경제적 자원이 부족하여 여가를 제대로 즐기지 못하는 사람들이 늘어나고 있다. 노동현장에 몰입하여 지금도 여가생활의 기회를 찾아내지 못하는 사람들이 존재하는가 하면, 경제적 자원은 풍부하지만 여가시간을 적극적으로 즐기지 못하는 사람들도 존재한다. 그들은 가끔씩 연차휴가를 즐기고 밤에 영화를 보거나 공원을 산책하는 짧고 집중된 시간을 제외하고는 여가시간을 충분히 즐기기 못하는 사람들이다.

행복하고 여유로운 삶은 지극히 주관적이라서 계량화할 수는 없지만, 마음의 여유를 가지고 진솔한 벗과 교제를 하는 방법을 통해서도 성취할 수 있을 것이다. 인간은 자연으로 돌아갈 때 가장 편안해진다고 한다. 여가활동이란 신체적 건강과 정신적인 안정을 목적으로 하는 것이다. 모든 것이 속도의 경제와 '바쁘다 바빠'로 일관하던 한국 사회에도 21세기가 되자 여가문화를 비롯한 느림의 문화가 나타나고 있다. 우리 사회에서 일어나는 느림의 문화는 속도의 문화에 대한 반작용으로 일어나는 것이고, 우리 사회가 인간이 감당할 수 있는 속도의 문화를 초월했기에 나타나는 것이다.

현대인들의 여가활동은 단순히 물질의 가치와 성장 제일주의만을 추구하던 이전 세대와는 달리 개인주의의 가치관을 바탕으로 자연을 통해서 맑은 정신과 건강한 육체를 얻는 것을 최고의 덕목으로 여긴다고 할 수 있다. 우리들이 삶에서 가장 중요하게 생각하는 것은 건강과 행복이다. 지금부터라도 우리들은 고시조에 나타난 우리 선조들의 삶의 모습을 본받아 물질보다는 정신을 중요하게 생각하고, 여유로운 생활과 느림의 미학을 실천해야 할 것이다.

여가시간이 많아지고 여가문화도 다양해짐에 따라 현대인들은 더욱 건강한 육체와 맑은 정신을 강조하는 여가활동을 추구할 것이다. '누구에게나 자유 시간은 주어지나, 아무나 여가활동을 할 수는 없다'[16]라는 말이 있다. 그만큼 여가활동의 방법과 질이 중요하기에 하는 말일 것이다. 아리스토텔레스(B.C.384~322)는 여가활동처럼 자유로운 시간을 활용하는 자유교육을 중요시하였다. 자유교육은 직업교육과 생산교육과 같은 노동교육이 아니라 여가를 이용하여 자유인으로서의 교양을 함양하도록 하는 자유교육(독서, 음악, 체육 등)을 중요하게 여겼다. 자유교육은 신체의 노동보다는 정신의 활동을 더 중요시하게 여기는 여가시간의 활용이 주된 내용이었다.

해마다 다가오는 여름철 시원한 그늘과 냇가에서 조선시대의 선

16 S.de Grazia, 『Of time, Work, and Leisure』, Doubleday & Company Inc., New York, 1964, 5쪽.

비들처럼 심신에 안정과 여유를 주는 취미생활과 여유로움을 통해서 바쁜 현대인들이 더불어 사는 새로운 삶의 가치를 확인하는 자리가 되었으면 한다. 이러한 시기에 우리들은 우리의 옛시조에 나타난 여유와 느림의 미학에 바탕을 둔 여가생활에도 관심을 기울여 심신이 건강한 아름다운 멋과 맛을 함께 지닌 여가활동을 즐겨야 할 것이다.

시조문학과
가을철 사대부의 여가활동

1. 웰빙(Well-being)과 여가문화

한국사회에서 웰빙(Well-being)과 함께 여가문화라는 용어가 본격적으로 언급되기 시작한 것은 2002년 말부터라고 할 수 있다. 앞으로 우리나라에서는 취미생활과 함께 여가활동과 여가문화를 추구하는 사람이 더욱 증가할 것이다. 웰빙(Well-being)이라는 말의 뜻은 원래 그대로 건강한(well, 안락한, 만족한) 인생(being)을 살자는 의미이다. 원래 서구에서는 국민소득이 만불에 접근하자, 반전운동과 민권운동의 정신을 계승한 중산층 이상의 시민들이 웰빙(Well-being)이라는 이름으로 고도화된 첨단문명에 대항해 자연주의와 새로운 세대의 문화 등을 받아들여서 새로운 삶의 양식으로 자리잡기 시작하였다.[1]

전통적으로 학자들은 여가(餘暇)를 휴식, 행복, 창조, 자유추구, 자기결정, 자아실현 등의 용어와 연관시키고 있다. 여가는 사람들

---

1 류해춘, 「웰시대의 시조미학(여름편)」, 『시조세계』 15, 2004, 131-137쪽 참조.

이 노동을 마치고 자유로운 시간을 가지면서 자기계발을 위해서 활동하는 놀이문화의 시간이라고 할 수 있다.

인간의 생활시간을 노동시간, 여가시간, 수면시간 등으로 구분할 수 있다. 여가시간은 보통 1일 24시간 중에서 수면시간과 노동시간을 제외하고 나머지 시간을 여가시간이라고 할 수 있다. 보통의 사람들은 시간적인 측면에서 수면시간 8시간, 노동시간 8시간, 그리고 여가시간 8시간 등으로 생활한다.

여가를 이해하는 데 가장 중요한 변수는 노동이다.[2] 오늘 노동을 마치고 여가를 즐겁게 경험한 사람들은 행복과 자아실현으로 미래의 삶과 노동을 창조적으로 이끌어갈 것이다. 여가는 휴식의 시간, 활동, 상태 그리고 제도의 요소가 적절히 배합된 복합적 성격을 갖는다고 할 수 있다.

이에 따라 현대사회에 있어서 점차 복잡성을 띠고 있는 여가를 제대로 파악하기 위해서는 여가의 다면성을 포괄할 수 있는 개념이 필요하다. 여기서는 여가문화를 "개인이 가정, 노동 및 기타 사회의 의무로부터 자유로운 상태 하에서 휴식, 기분전환, 자기계발 등의 사회참여를 위해서 활동하게 되는 여유시간의 다양한 문화"로 이해하고자 한다.[3]

최근 한국에서는 경제가 성장하고 여가문화의 시장이 성장함에 따라 여가활동을 추구하는 젊은이들이 새롭게 여가를 활용하고 선택하는 삶을 추구하고 있다. 여가문화의 한 유형인 웰빙(well-being)과 힐링(healing)이 우리사회에 새로운 문화코드로 떠오르면서 다양

---

2 김문경 외, 『여가의 시대』, 호밀밭, 2021, 21쪽 참조.
3 김광득, 『여가와 현대사회』, 백산출판사, 1997, 94쪽 참조.

한 여가활동이 주목을 받고 있다. 현대사회에서 여가활동은 물질의 가치나 명예를 얻기보다는 신체와 정신이 건강한 삶을 행복의 잣대로 삼는 것을 의미한다. 여가활동을 즐기는 사람은 육체의 건강과 마음의 안정을 최우선 과제로 삼아야 한다.[4]

여가활동은 삶을 만족시키는 데는 도움이 되지만 다른 한편으로는 부정적인 영향을 미칠 수도 있다. 예를 들어 맛있는 음식을 먹는 것은 즐겁다. 하지만 과식을 하게 되면 여러 가지 부작용이 발생할 수 있다. 과유불급(過猶不及)이라는 말이 있다. '무슨 일이든지 지나치게 되면 부족한 것과 같다.'라는 말이다. 각자 모든 사람은 육체적으로나 마음가짐으로도 자신에게 적절한 여가활동을 수행하는 일이 필요하다고 할 수 있다.

최근에는 여가문화가 산업의 한 분야로 변질되면서 상류층의 문화로 왜곡되고 있다고 한다. 하지만 진정한 여가활동과 그 문화는 경제력을 바탕으로 잘 먹고 잘 살고 폼나게 사는 것이 아니라 정신적 만족을 통해 행복을 느끼며 사는 것이라 할 수 있다.

한국말로 참살이라고 번역할 수 있는 웰빙에는 육체적으로 질병이 없는 건강한 상태뿐 아니라, 직장이나 공동체에서 느끼는 소속감이나 성취감의 정도, 여가생활이나 가족 간의 유대, 심리적 안정 등의 다양한 요소들을 포함하고 있다. 몸과 마음, 일과 휴식, 가정과 사회, 자신과 공동체 등 모든 것이 조화를 이루어 어느 한쪽으로 치우치지 않은 상태를 웰빙이라고 한다. 여가활동의 한 유형이라고 할 수 있는 참살이[웰빙]처럼 바람직한 여가활동과 그 문화는 몸과

---

4 류해춘, 「웰빙 시대의 시조미학(가을편)」, 『시조세계』 16호, 2004, 149-150쪽.

정신을 수련하고, 자연과의 조화를 이루면서, 행복한 삶을 추구하는 것으로 요약할 수 있다.

이러한 정신은 우리나라의 조선시대 선비들이 당쟁이나 사화, 그리고 유배 등의 어지러운 세상을 만나면 산수자연으로 은둔하여 자연과 벗하면서 자연의 질서를 존중했던 것과 비슷했다고 할 수 있다. 조선시대 선비들이 전쟁이나 유배 등을 경험하면서 고약하거나 어지러운 세상을 만나면 산림이나 고향으로 돌아와 자연과 함께 생활하였다. 이때 그들은 시조나 가사 그리고 한시(漢詩) 등을 창작하면서 자신의 삶과 생활을 문학으로 정리하기도 하였으며, 자신이 거주하는 땅과 산천에서 생산한 음식을 즐기면서 여유로운 생활을 향유하기도 하였다.

이때 조선시대 선비들은 우리 민족의 정체성을 잘 드러내고 있는 시조를 통해서 여가활동을 노래했다. 시조의 작품에는 조선시대의 선비들이 오늘날 우리 사회에서 화두가 되고 있는 여가문화를 즐기는 것과 비슷한 정신으로 자연을 완상하며 건강하고 소박한 삶, 그리고 정신적으로 만족하며 행복한 삶 등의 주제를 시조와 가사 등을 통해서 노래하기도 하였다.

시조는 고려말에서 21세기 현재까지 창작되는 한국의 대표적인 정형시로써 우리의 전통문화와 공동체 문화의 특성을 잘 반영하고 있는 중요한 위치를 차지하고 있다. 이 글은 가을철을 주제로 하는 시조에 나타난 여가활동의 양상을 분석하고자 한다.

2. 가을의 정취와 한가로운 삶

한국의 가을과 그 자연은 아름답다. '바쁘다 바빠'의 문화 속에서 살아온 한국인들은 자신에게 적합한 여가활동과 취미생활을 가지고 있지 못한 경우가 흔하다고 할 수 있다. 가을에는 단풍이 아름답게 산을 물들이고, 하늘은 더없이 높고 푸르며, 강물은 맑기가 그지없다. 아름다운 계절인 가을철에도 대부분의 현대 한국인들은 여가를 단순히 '쉼'의 의미로 받아들이고 있는 듯하다. 진정한 취미생활로 여가생활을 선용하는 경우는 드물고 시간이 나면 잠을 자거나 그럭저럭 놀거나 그냥 끼리끼리 모여서 잡담으로 시간을 흘려보내는 경우가 많다.

그래서 현대인들은 삶의 질을 높이기 위해 삶의 다양성을 추구하며, 다양한 장소를 찾아가고, 다양한 욕구를 충족시키기 위해서 여가의 시간을 잘 사용한 일에 최대한 노력을 기울이고 있다. 인생의 가치와 목적은 무엇인가? 소크라테스(B.C.470~B.C.399)는 '이성적 사유와 일치하는 삶'의 가치를 주장하고 추구했으며, 플라톤(B.C.428~B.C.348)은 '좋음의 이데아'라는 선(善)의 가치를 실천하고 추구하려고 노력했다. 하지만 철학자인 아리스토텔레스(B.C.384~B.C.322)는 "여가를 인간 행동의 목표이고 모든 행동이 지향하는 종착점으로 보아, 우리가 평화를 얻기 위하여 전쟁을 하는 것과 마찬가지로, 우리는 여가를 향유하기 위하여 일을 한다."[5]라고 주장하였다.

---

5 천병희 역, 『아리스토텔레스 니코마코스 윤리학』, 도서출판 숲, 2013, 401쪽 참조. ; Aristotle, 『Nichomachean Ethics』, New York : Random House, 1948, 1104-1105쪽.

아리스토텔레스는 신(神)을 모든 인간사의 중심에 놓지 않았다. 플라톤이 이상주의자(idealist)라면 그는 경험주의자(empiricist)라고 할 수 있다. 인간의 존재가치는 신에게로 가까이 가는 것이 아니라 행복(happiness)을 추구하는 것이라고 하였다. 행복은 바람직한 삶(good life)의 산물이며 도덕적 경계 내에서 인간의 잠재력을 충분히 발휘할 수 있도록 도와주는 최선의 존재가치를 지닌 삶의 방식이기도 하다. 이러한 삶의 방식은 여가활동에서 가능하다고 판단하였다. 왜냐하면 여가활동에는 근본적으로 자유, 건강, 선한 행동, 자기계발 등의 가치가 포함되어 있다고 생각했기 때문이다.

여가(scole)[6]는 좋은 것이고 활동 그 자체가 목적인 활동이며, 덕(德)과 선(善)을 함축한 인간의 자기계발과 관련된 활동이라서 자아완성의 수단이라고 주장했다. 여가의 상대적인 의미를 지닌 노동(a-scolia)이라는 단어에는 단지 생존의 기회를 얻기 위한 수단에 불과하다고 판단하여 자기계발을 위해서는 지나친 노동을 피해야 할 것이라고 주장하였다. 이처럼 아리스토텔레스는 여가를 신성한 것으로 파악하여, 자신을 여가의 존재자이자 일생을 여가활동을 하며 살아가는 사람으로 지칭하면서 평화와 자유스러운 사고 속에서 사색하고 명상하여 예술을 창작하고 감상한다고 하였다.

현대사회에서는 새로운 지식을 학습하는 체험형의 여가활동이 증가하고 있다. 최근에는 전통문화인 고궁이나 사찰 그리고 문화유

---

6 여가(scole)라는 용어에서 오늘날의 학교(school)라는 단어가 파생되었다. 나아가 여가(scole)의 반대가 되는 노동(a-scolia)은 노예들의 것이고, 여가(scole)는 귀족의 것이며 철학자의 것이라고 판단하여, 인간의 존재가치를 통한 인본주의의 여가관을 반영하는 시각을 주장하고 있다. (고동우, 『여가학의 이해』, 세림출판, 2007, 34쪽 참조.)

산을 찾아서 탐방하는 여가활동이 늘어나고 있다. 문화유적을 탐방하는 일은 우리나라의 전통문화에 대한 긍지와 자부심을 지닐 수 있고 일의 스트레스를 벗어나 자연과 함께 우리의 전통을 체험하는 장점을 지니고 있다. 이렇게 건전한 여가활동은 한 개인의 부정적이고 왜곡된 편견과 태도를 적극적이고 능동적인 태도로 변화시킬 수 있다. 여가활동은 그 본질이 인생에서 삶의 무게를 벗어버리면서 일로부터의 해방감을 얻어서 자기자신이 스스로 안정감과 자기만족을 느끼는 행위라고 할 수 있다.

시조가 유행했던 조선시대에는 정치적인 불안정, 신분제의 동요 그리고 농경사회의 변화 등으로 우리 사대부들을 소외감, 복잡함, 왜소함 등의 억압 속에서 살아가도록 강요했다. 이러한 시기에 우리의 선비나 사대부들은 여가활동인 놀이나 풍류 그리고 여행 등을 통해서 정서를 되찾고 마음을 안정시켰다. 또, 조선시대의 선비들은 누정, 별서, 풍류방 등의 공간을 통해서 여가활동을 비교적 활발하게 하였다. 여가활동의 중요한 요소는 기분전환을 통하여 현실 또는 상상의 세계를 열어 주어 사람들에게 기쁨과 행복을 주는 일이라 할 수 있다. 이러한 기분전환은 일에 억눌린 개인의 감정과 압박을 해소해주어서 정신의 쾌적함을 유지하게 한다.

여기서는 조선시대의 선비와 사대부들이 가을의 정취 속에서 어떻게 여가를 즐겼는지를 살펴보기로 한다. 먼저, 가을철을 노래하는 시조에는 우리의 양반사대부들이 여가활동을 형상화하면서 기분전환과 유흥을 통한 심리의 조정을 표출하고 있는 작품이 있어 검토하기로 한다.

秋山이 夕陽을 씌고 江心에 줌곗는듸

一竿竹 두레 메고 小艇에 안즈시니

天公이 閑暇히 너겨 달을 죠추 보늬도다

2967[7] 柳自新

〈현대역〉

추산이 석양을 띠고 강심에 잠겼는데

낚시대 둘러메고 작은 배에 앉았으니

하느님이 한가히 여겨 달을 조차 보내도다

유자신

1960년대부터 산업화를 이룩한 20세기의 한국인들은 여가생활이
필요하지 않은 사람들처럼 열심히 일만을 하면서 살아왔다. 여가활
동은 삶의 질과 연관되어 있다. 인간이면 누구나가 가장 소망하는
목표의 하나는 자신이 자유로운 시간을 가지고 여가를 선용하는 것
이다.

여가는 그 시대와 지역 그리고 민족에 따라서 많은 차이가 존재한
다고 할 수 있다. 사회주의 사회에서는 여가가 사회에 공헌하지 않
는다고 부정적인 시각을 지니고 있는 반면에, 자본주의 사회에서는
자본으로 움직일 수 있는 여가활동을 긍정적인 것으로 평가한다.

일반적으로 적극적인 여가활동은 육체적이고 정신적인 힘을 이
용하여 개인의 자유시간을 활용하는 취미생활이라 할 수 있다. 여

---

7 이 글에 나오는 작품의 번호는 『역대시조전서』(심재완, 세종출판사, 1972)에 있는
  것임을 밝혀 둔다.

기에는 독서, 걷기, 노래 등의 힘과 자본이 덜 드는 여가활동이 있
는가 하면, 축구, 농구, 골프 등의 힘과 자본을 많이 필요로 하는
여가활동이 있다. 또 소극적 여가활동은 사람이 물리적이며 정신적
인 힘을 많이 사용하지 않는 취미활동으로서 명상, 낚시, 영화보기,
TV시청 등의 활동으로 분류하기도 한다.

위의 시조에서는 육체적이고 정신적인 힘을 많이 사용하지 않는
무욕(無欲)의 낚시를 주제로 하여 선비들의 여가활동을 묘사하고 있
다. 이 작품의 화자는 조선시대의 선비가 가을철을 맞이하여 저녁
하늘의 석양을 배경으로 자연을 벗하며 가을의 정취와 함께 자유롭
고 한가로운 삶을 즐기면서 취미생활로 낚시하는 모습을 한폭의 동
양화처럼 그려내고 있다.

초장에서 화자는 단풍이 곱게 물든 가을 산이 저녁 햇빛을 받아,
강 속에 그 그림자를 드리우고 잠겨 있는 모습을 묘사하고 있다.
아마도 화자는 석양이 지는 저녁 시간까지 여가를 즐기면서 여유롭
고 한가한 생활을 하고 있는 듯하다. 중장에서 화자는 경치가 좋은
곳을 배경으로 하여 낚싯대를 둘러메고, 강가에 작은 배를 띄우고
낚시를 즐기고 있는 모습을 보여주고 있다. 경치가 아름다운 강에
서 휴식을 취하며 여유롭게 낚시를 하고 있는 모습은 화자가 자연
과 하나가 되어 신선이 된 것처럼 작품에서 묘사를 하고 있다.

종장에서 화자는 한가롭게 하늘의 달을 감상하면서 가을의 정취
에 흠뻑 젖어 낚시를 하면서 여가생활을 즐기고 있다. 이 작품의
화자는 마치 하늘에서 하느님이 달을 보내주고, 강물은 스스로 배
를 띄워 놓고, 그 가운데서 인간이 낚시를 하는 동양화 한 폭을 감
상하고 있는 것처럼 묘사하고 있다. 인간과 자연이 완전히 하나가

되는 장면이다. 이때 화자는 하늘의 달과 지상의 작은 배, 그리고 낚시하는 인간의 모습을 통해서 자신의 존재가 대우주인 자연 속에서는 한 점밖에 되지 않는다는 무심(無心)과 무욕(無欲)의 진리를 깨우치면서 낚시에 몰두하고 있다.

이처럼 이 시조의 화자는 가을 속의 아름다운 경치에 흠뻑 도취되어 강 속에 비친 석양의 경치를 감상하면서, 낚싯대를 드리우고 여가생활을 하고 있다. 게다가 하늘에는 달까지 두둥실 솟아오르고, 천하의 절경인 한국의 가을 정취를 시조로 노래하고 있으니, 독자들은 마치 아름다운 한 폭의 동양화를 감상하는 즐거움을 만끽할 수 있다. 여기서 우리는 조선시대 사대부들이 체험한 자연을 벗하며, 느리면서 그리고 한가롭게 살아가는 삶의 지혜를 배울 수 있다.

진정한 의미의 여가생활은 일에서 벗어나 자유를 추구하고 그 속에서 여유로움을 느끼고 행복함이 있어야 한다. 이 시조처럼 자유로운 생활과 여유로운 생활, 그리고 재미와 행복함이 깃든 여가생활은 현대를 살아가는 우리들을 풍요롭고도 보람찬 삶과 인생으로 인도할 것이다.

이제는 가을의 정취와 여가생활을 즐기는 또 다른 시조를 살펴보기로 한다. 여가생활은 개인의 인성을 계발시켜 삶을 풍요롭게 하고 우리 사회를 건강하게 할 수 있다. 각 개인들이 여가생활을 건전하고 창조적으로 잘 활용한다면, 우리의 사회는 만족과 기쁨이 가득하고 즐거운 곳이 될 것이다. 즉 여가를 잘 활용하는 사회는 모든 사람들이 원하는 행복한 삶의 공동체라고 할 수 있다.

秋江에 밤이 드니 물결이 추노미라
낙시 드리치니 고기 아니 무노미라
無心흔 둘빗만 싯고 븬비 저어 오노라

2966, 월산대군

〈현대역〉

추강에 밤이 드니 물결이 차노매라
낚시 드리치니 고기 아니 무노매라
무심한 달빛만 싣고 빈배 저어 오노라

월산대군

현대인들의 여가로서는 욕심을 부리지 않는 낚시와 같이 조용한 여가활동이 주목을 받고 있다. 그래서 조선시대 우리의 선비들과 사대부들이 자연과 벗하는 가을철 전원생활에서 욕심을 버리는 여가활동으로 낚시를 자주 선택한 것을 주목할 수 있다. 우리의 선조들은 낚시를 하면서 진짜 어부가 되는 것이 아니라 어부로 가장(假裝)하여 낚시를 하면서 조용하게 신선(神仙)처럼 욕심이 없는 여가활동을 즐겼다. 이처럼 우리의 사대부들은 여가활동을 잘 보내기 위해서 가짜로 어부가 되어 고기를 낚는 것이 목적이 아니라, 한가롭게 자연을 즐기며 세월과 시간을 보내면서 삶의 참된 진리를 깨치기 위해 무욕(無欲)의 낚시를 하기도 했다.

인간사회에서는 원래 놀이를 일처럼 여겼고, 일을 놀이처럼 만들어 가며 오늘에 이르렀다. 그러나 논다는 것, 여가생활을 보람차게 즐긴다는 것은 아무나 할 수 있는 일이 아니다. 제대로 된 여가생활을 즐기지 못하면 위험한 여가를 즐길 수밖에 없다. 위의 시조를 보면 초장에서 화자가 늦가을이 되어 물결이 차갑다는 자연의 진리를 표출하고 있으며, 중장에서 화자는 낚시를 던지지마는 고기를 잡는 것이 아니라 시간을 보내면서 인생의 진리를 탐구하는 시간을 가지는 것이라 할 수 있다. 종장에서 화자는 고기 대신에 달빛을 싣고 돌아오지만 원망이나 슬픔이나 고통이 전혀 없다. 화자는 그냥 '무심(無心)'이라는 한 단어에 인생의 모든 의미를 표출하고 욕심 없이 살아가겠다는 화자의 의지를 나타내고 있다. 이처럼 우리의 사대부들은 강가의 낚시를 통해서 위험한 여가 즉 여가활동을 통해서도 무엇인가 이루어야 한다는 인간의 욕심을 피하고 '무심(無心)' 하며 '무욕(無欲)'의 한가로운 여가생활을 즐기고 있다.

위험한 여가를 피하는 방법으로 이 시조는 여가활동인 낚시를 통해서 얻어지는 인생의 진리인 '무심(無心)'과 '무욕(無欲)'의 위력을 강조하며 실천하고 있다. 즐겁고 행복한 여가활동을 실천하려면 노동을 할 때보다도 더 많은 지혜와 창조력을 발휘해야 한다. 이 시조처럼 인간이 생활에서 삶의 질을 한 단계 성숙시키는 능동적인 여가는 저절로 생기지 않는다. 노동을 위한 힘을 재충전하는 기회로 판단하는 21세기 현대인들의 여가활동은 단순히 쉼을 즐기거나 축 늘어져서 수동적으로 시간을 낭비하는 데서 멈추는 것이 아니라 각자가 자신의 삶을 한 단계 끌어올려 행복하게 살아가는 삶의 지혜를 키워나갈 수 있을 때 이루어지는 것이다.

3. 즐거운 생활과 건강식의 향유

무위자연(無爲自然)이라는 말이 있다. 사람과 자연이 서로 조화롭게 살아가야 하며, 사람과 자연이 하나라는 뜻의 가장 동양적인 표현이기도 한다. 서양에서도 루소(1712~1778)는 '자연으로 돌아가라'고 했다. 이처럼 동서양을 막론하고 근본정신이 자연으로 합일되고 있다는 점은 그만큼 자연스러움이 중요하다는 것을 뜻한다고 할 수 있다. 옛날부터 인간은 일을 끝내고 나면, 자연스럽게 놀이나 여가활동의 반복을 통해서 건강과 행복한 삶을 지속하며 생활하였다.

노동(勞動)도 신성하고 여가(餘暇)도 신성하다고 할 수 있다. 인간의 삶에서 수면시간은 더욱 중요하다고 할 수 있다. 한국의 전통사회에서 여가활동이라는 용어는 체계적으로 정립되지 않은 상황으로 지배계급의 전유물로만 여겨졌다. 동서양을 막론하고 전통사회의 특징은 지배계급과 피지배계급의 구분에 있다. 전통사회에서 여가는 모든 백성들이 즐겼지만 여가활동의 주체는 귀족에 관련된 것들이 많으며 서민들의 여가활동은 부정적으로 간주되어 기록의 내용이 부족하다고 할 수 있다.

우리나라의 경우 여가생활을 백성들과 지배계층이 함께 즐긴 문화로 기록되고 있어 주목을 받고 있다. 우리 민족의 여가생활로 백성들이 함께 참여한 문화로는 『삼국사기』에서 언급한 한가위로 거슬러 올라갈 수 있다. 한가위가 언급된 것은 『삼국사기』에는 제3대 왕인 유리왕(A.D. 24~37)이 왕녀 두 사람에게 각각 여자들을 거느리게 하여 7월 16일부터 길쌈을 하게 하였다고 한다. 한 달 후인 8월

15일이 되자 누가 더 많은지를 살펴서 부족한 쪽이 술과 밥을 마련하여 승리한 편에게 주었고, 맛있는 음식과 함께 놀이를 즐겼다고 한다. 여기서 노래와 춤과 갖은 오락이 다 벌어졌으니 이것을 가배(嘉俳) 혹은 한가위라고 하였다. 신라 초기인 1세기에 벌써 추석인 음력 8월 15일은 크고 밝은 달빛 아래에서 모든 백성들이 함께 음식을 먹고 회소곡(會蘇曲)이라는 노래를 부르는 축제[8]로 정착하였다.

여가(餘暇)의 의미를 포함하는 유사한 단어에는 놀이, 여유(餘裕), 노래, 음식, 예술, 문화, 관광, 독서, 체육, 게임(game), 레져(leisure), 스포츠(sports), 웰빙(well-being), 힐링(healing), 레크레이션(recreation) 등의 여러 단어가 있다. 이러한 단어에 포함되어 있는 여가활동은 그 자체로 만족과 즐거움을 주고 있어서 어떤 강제성이 없이 자발적으로 행해지므로 일반적인 어떤 목적이나 목표를 지니고 행동하는 일과는 독립하여 존재한다고 할 수 있다. 여가는 일이나 일상생활에서 생기는 강박감을 해소하고 기분을 전환하며 피로를 풀고 생활의욕을 높이기 위한 방법으로서 효용성이 있다고 할 수 있다.

어떤 학자들은 놀이를 남아서 돌아가는 생명의 에너지를 발산하는 일이라고 말하기도 하였다. 옛날부터 인간은 일을 끝내고 나면, 놀이나 여가활동을 통해서 건강을 관리해왔다. 그래서 학자들은 인간을 '놀이하는 사람'으로 규정하기도 하였으며, 인간의 문화는 놀이에서 시작하고 놀이로서 끝나는 것으로 평생 놀이를 통하여 인간의 문화가 형성된다고도 하였다.[9] 여가활동은 놀이의 핵심요

---

8 김부식, 『삼국사기(신라본기, 유리나사금)』 참조.
9 요한 하위징아(이종인 역), 『놀이하는 인간, 호모루덴스』, 연암서가, 2010, 29-30쪽 참조.

소로 기본적으로 휴식을 통하여 생리적 리듬을 유지하게 하고 피로를 풀게 한다. 따라서 여가활동은 생명력을 돋우고 정신을 순화시키는 신체의 유지기능을 지니고 있다. 즉 피로한 육체를 풀어줌과 동시에 여가활동은 과로한 심신을 회복시켜 육체의 균형을 유지하는 데 기여한다고 한다고 볼 수 있다. 심신을 회복시켜 육체적 균형을 이루는 여가활동에는 놀이 못지않게 먹는 것에도 관심을 기울여야 한다.

한국에서 대중들이 여가에 관심을 가지기 시작한 시기는 1980년대부터이다. 이때부터 국민소득이 올라가자 국민들은 자동차를 구입하여 한국의 여가문화의 판도를 변화시켰다. 그리고 일보다는 여가에서 즐거움을 추구하는 삶에도 관심을 가지게 되면서부터 국민들은 음식문화에도 본격적으로 관심을 가지기 시작하였다. 이 시기는 한국의 경제가 급속도로 발전하여 경제적으로 자립을 이룩하여 세계적으로 주목을 받았으며, 대외적으로는 세계적인 스포츠 경기대회인 86년 아시안 게임과 88년 올림픽 게임을 국내에 유치하여 한국이라는 국가의 위상이 높아졌다. 그래서 대한민국은 '세계는 한국으로 한국은 세계로'라는 홍보와 광고를 통하여 한국의 놀이문화와 음식문화 그리고 전통문화 등의 세계화를 추진하면서 국력을 세계로 펼쳐 나가던 시기였다.

이 시기에 행락철인 봄과 가을이 되면 도회지 근교의 산과 강에는 자동차가 즐비하여 교통체증 현상을 가중화시켰다. 자동차가 여가활동을 증가시켰다는 것은 분명한 사실로 당시의 한국의 산과 강에는 쓰레기로 몸살을 앓을 정도가 되었다. 그래서 한국의 산에는 안식년제도를 도입하고 행락질서의 캠페인을 벌여 "산과 강에서는 고기를 구워 먹거나 음식을 해 먹지 말고 도시락을 싸서 가지고 가자."라는 계몽운동을 펼치게 되었다.[10]

우리가 여가와 관련하여 음식의 문화와 그 의미를 살펴보는 이유는 먹거리라는 것이 단순히 허기를 채우기 위해서 음식을 먹는 일이 아니고, 먹거리를 통해서 새로운 음식의 맛을 체험하고 건전하고 건강한 음식문화를 즐기면서 심신의 건강을 추구하는 것으로서 그 의미가 확대되었기 때문이다. 한국의 음식문화가 급성장하면서 여가문화의 주류로 성장한 배경과 그 원인에는 심신의 건강을 추구하는 경제, 사회, 문화, 환경 등의 변화가 여가활동에 큰 영향을 미쳤기 때문이다.

대다수 국민들이 여가활동에 관심을 가지자 음식문화에도 변화가 일어나기 시작했다. 여가활동에서 음식은 가장 큰 관심거리인데 건강한 음식은 가까운 데에 있다고 한다. 여가활동에서 음식은 비싸거나 화려하기만 한 것이 아니다. 한마디로 여가활동의 음식은 우리의 건강을 지킬 수 있는 음식이라고 할 수 있다. 음식의 재료는 유기농 야채가 기본이라 할 수 있으나, 건강한 음식이 반드시 유기농 음식을 뜻하지는 않는다. 전통을 중시하며 자연스러운 방식으로 생산한 것이라면 육류, 해산물, 낙농제품을 포함하여 모두 건강한 음식의 재료라고 할 수 있다. 그러면 우리 사대부들이 즐거운 생활을 하면서 찾아서 먹은 건강한 음식을 시조를 통해서 살펴보기로 한다.

---

10 김문겸 외 2인, 『여가의 시대』, 호밀밭, 2021, 86-89쪽 참조.

뒤 쓸이 벼 다 익고 압닉에 고기 찻닉

白酒 黃鷄로 닉노리 가자시라

술 醉코 田園에 누어시니 節가는 줄 몰닉라

925, 작자 미상

〈현대역〉

뒷들에 벼 다 익고 앞내에 고기 가득찼네

백주 황계로 시내놀이 가자스라

술 취해 전원에 누웠으니 시절가는 줄 몰라라

작자 미상

건강한 음식은 전 세계의 각 가정에서 오래전부터 먹어왔던 음식이라 할 수 있다. 한국의 경우, 시냇가에서 닭을 푹 고아서 백숙(白熟)을 해 먹는 것과 손수 물고기를 잡아서 안주를 만들어 먹는 것도 건강한 음식이라고 할 수 있다. 강에서 잡아 올린 물고기나 토종닭의 백숙에는 영양이 풍부할 뿐만 아니라 섬유질이 많다는 것은 설명할 필요가 없다.

이 시조의 초장에서는 들에서 벼가 익고, 앞 내에 고기가 가득한 가을의 정경을 노래하고 있다. 중장에서 화자는 백주와 황계를 가지고 시냇가에 가서 물고기잡이를 하려고 한다. 황계는 집에서 기르는 토종닭인데 백숙을 해서 먹으면 담백하고 그 맛이 일품이라고 할 수 있다. 거기에 더하여 방금 잡은 물고기를 가지고 매운탕을 곁들이니 건강식의 향유라고 할 수 있다. 백주는 막걸리를 말하는 것으로 우리 민족이 가장 즐겨 마시던 술이라 할 수 있다. 종장에서 화자는 술에 취하여 전원에 누웠으니 시절가는 줄을 모르겠다고 하면서 즐겁고 행복한 시간을 보내고 있다. 이처럼 화자는 전통적으로 건강한 음식을 먹고, 자연에 동화되어 전원에 누워서 자연과 일치가 되는 즐거운 생활을 하고 있다.

이 시조처럼 전원에서 건강한 음식을 먹으면서 행복한 마음을 유지한다면 현대인들은 세상을 살아가면서 원만한 사회생활을 할 것이며, 정신과 육체가 함께 건강하여 건전한 생활을 할 것이다. 사람이 맛있는 음식을 먹고 즐거운 생각을 가지고 긍정적으로 사고하는 것은 매우 중요하다. 더욱이 개인 스스로가 건강식을 먹으면서 긍정적이고 즐거운 사고를 한다면, 인생에서 건강이 저절로 찾아온다고 할 수 있다. "나는 즐겁고 건강한 사람이야."라고 자기 스스로에게 다짐하는 말 한 마디는 우리의 건강을 유지하는 데 큰 도움을 줄 것이다. 현대인들은 육체와 정신의 건강을 지키기 위해 자연식으로 된 음식을 먹거나 자기방식으로 생활하여 스트레스를 받지 않으려고 한다.

먹거리를 주제로 하여 건강한 삶을 표현하며 즐거운 생활을 노래하고 있는 또 다른 시조를 살펴보기로 한다.

> 대쵸볼 불근 골에 밤은 어이 뜻드로며
> 벼벤 그로헤 게ᄂ 어이 ᄂ리ᄂ고
> 술닉쟈 체장ᄉ 도라가니 아니 먹고 어이리
>
> 837, 황희(黃喜)

〈현대역〉
대추 볼 붉은 골에 밤은 어이 떨어지며

벼 벤 그루에 게는 어이 내리는고
술익자 체 장수 지나가니 아니 먹고 어이리

황희

이 시조는 가을 농촌의 풍성하고 여유로운 정경을 담담히 그려내고 있는 작품이다. 초장에서는 가을이 되어 대추가 붉고 밤송이가 벌어져서 밤톨이 땅으로 떨어지는 가을의 정경을 묘사하고 있다. 풍년이 들어 풍족한 삶을 약속하는 듯한 가을의 모습을 보여주고 있다. 중장에서 보여주는 것은 벼를 베고 난 그루터기 사이로 게가 기어 나오는 모습이다. 자연에서 성장한 게는 자연의 영양식으로 술안주로 제격이라 할 수 있다. 이러한 장면은 가을이 무르익은 모습을 한껏 체험할 수 있는 정경이라 할 수 있다. 종장에서 화자는 마침내 지나가는 체 장수를 불러서 체를 사고 농주를 걸러서 친구들과 즐겁게 한잔을 하고 있다.

이 시조에 등장하는 대추와 밤, 그리고 게는 자연에서 생산되는 천연식품이라 할 수 있다. 대추와 밤은 지금도 건강식으로 주목받고 있는 식품이다. 대추는 긴장을 풀어주어 숙면을 가능하게 하고, 밤은 영양소의 보고이며 소화를 북돋아 주는 기능을 한다고 한다. 농사를 마친 논에서 살진 게가 살아서 기어 나오니 농약에 오염되지 않은 천연식품이라고 할 수 있다. 여기에 곁들여서 자연적으로 발효된 농주를 한 잔씩 한다면 더 없는 행복을 느낄 수 있을 것이다.

조선시대 사대부의 삶은 전반적으로 오늘날처럼 물질적으로 풍요롭지 못했다고 할 수 있다. 그러나 가을철 제철에 나는 재료를 활용하여 즐거운 마음으로 요리하여 풍요로운 음식을 앞에 두고 혼

자 즐기지 않고 이웃들과 함께 나누어 먹는 선조들의 여유로운 삶과 정신적으로 건강한 삶의 방식은 현대인들이 본받아야 할 삶의 지혜라고 할 수 있다. 건강과 행복한 삶을 생활화하려는 현대인들은 위의 시조처럼 자연친화적인 생활을 실천하여야 한다.

현대인들이 자연에서 여가생활을 하면서 자연이 제공하는 천연식품을 섭취하는 유기농의 먹거리를 가끔씩 체험한다면, 정신적 스트레스가 훨씬 줄어들고 업무의 효율도 높아지며, 신체와 정신이 평화로워져서 즐겁고 행복한 생활을 하게 될 것이다.

4. 가을걷이와 행복의 추구

오늘날 여유로운 삶의 문화인 여가활동은 노동, 문화, 사회, 경제, 정치 등의 전반적인 형태에서 새롭게 등장하고 있으며 그 기능 또한 다양하다고 할 수 있다. 여가활동의 효율성과 효용성은 개인이 지니고 있는 여가활동에 대한 주관적인 생각으로 비교적 일관성 있게 나타나는 여러 가지 효과적인 결과를 의미한다. 여가에 내포되어 있는 휴식기능과 기분전환기능 그리고 자기계발기능 등의 가치는 새로움과 변화, 그리고 인간관계의 지속과 발전 속에서 이루어진다.

인간은 정신의 동물이며 창조의 존재이다. 사람들에게 여가활동을 통해서 얻어지는 건전한 정신과 건강한 신체는 인간의 심신안정과 자기계발을 촉진시킴으로써 사람이 인간으로서 최대의 행복을 누릴 수 있게 해준다. 그러므로 여가활동은 개인을 일상의 스트레스로부터 도피를 시키고 정신적 스트레스나 권태로부터 해방을 시켜준다고 하였다. 그리고 여가활동은 인간의 정체성과 창의력을 기르게 하는 요인 중의 하나라고 한다.[11] 창의력을 통하여 자기를 계발하는 인간은 알고자 하는 지적 능력과 아름다움을 추구하는 미적 능력, 그리고 목표를 실현하고자 하는 창조적 능력을 동시에 소유하고 있다.

2020년대 들어 우리사회에서 최고의 관심사가 되고 있는 단어 중에 하나가 바로 인공지능이며 디지털화이다. 이에 비해 2002년 쯤에는 여가문화영역에서 웰빙(well-being)이라는 용어가 우리사회에서 관심의 대상이 되었다. 그 당시 사회의 전반에 걸친 웰빙의 열풍은 가히 놀랄 만한 수준이었다. 사실 웰빙이라는 단어의 의미는 우리말로 번역하면 참살이라는 용어로 번역되며, 복지, 안녕, 행복 등의 의미를 지니고 있다. 웰빙 열풍은 물질적 부를 강조하는 현대사회가 지닌 자본주의 사회의 문제점을 인식하고 육체와 정신의 조화로운 건강을 통해서 행복한 삶을 영위하려는 사람들이 늘어나면서 생겨난 하나의 문화코드라고 볼 수 있다.

참살이와 웰빙을 추구하는 사람들은 슬로푸드의 음식을 선호하고 요가, 단전호흡, 필라티즈(pilates)와 같이 심신을 안정시키는 자연요법에 관심을 가지면서 몸과 마음의 건강을 유지하기 위해 부단히 노력하고 이를 통해서 행복을 느낀다. 주5일제와 같은 사회의 변화에 따라 현대인들이 추구하는 삶의 목표는 단순히 경제적인 복지보다는 심신의 행복과 안녕으로 변해가고 있다.

---

11 조명환 외 1인, 『여가사회학』, 백산출판사, 67-68쪽 참조.; 강남국, 『여가사회의 이해』, 형설출판사, 1999, 86-96쪽 참조.

최근에 유행한 사자성어로 신토불이(身土不二)라는 말이 있다. 사람과 흙은 하나라는 뜻으로 육체와 정신의 건강 이외에도 생명의 기원이 땅에서부터 나왔음을 뜻하는 가장 동양적인 표현이기도 하다. 우리 생활 주변에 흔하게 널려있는 흙과 자연, 하찮아 보이지만 그 속에 엄청난 생명의 신비가 숨어 있다. 자연 속에서 생활하는 사람들은 건강한 육체와 맑은 정신을 통해 행복을 추구하기 위해 자연을 가까이 하고 있다.

우리나라에서 생산된 곡식과 채소 등을 길러서 식사를 하고, 현재 자신들이 사는 땅에 곡식의 씨앗을 심고 길러서 가을철이 되면 가을걷이를 하는 사람들이 늘어나고 있다. 이때 사람들은 가을걷이를 하면서 즐거운 마음으로 1년 농사의 고마움을 표시하게 되는데, 이런 긍정적인 사고가 인생을 행복하고 아름답게 할 것이다.

오늘날의 사회에서는 노동과 여가의 시간과 관념의 분리가 명확해지는 관계로 여가활동을 통한 개인의 자기실현의 역할과 심신의 건강한 상태를 유지하는 일은 스스로가 담당하고 책임져야 한다. 행복은 지극히 주관적이어서 계량화할 수 없는 것이지만, 사람들은 스스로 열심히 노력해서 의식주를 해결함으로써 개인의 행복을 추구한다고 할 수 있다.

우리의 조선시대 선비들은 옛날의 시조를 통해서 우리 현대인들에게 귀감이 되는 잘 벌고 잘 쓰는 법 그리고 긍정적 사고를 통해 행복을 찾아가는 모습을 보여주고 있다.

ᄀ을히 곡셕 보니 됴흠도 됴흘셰고
내 힘의 닐운 거시 머거도 마시로다

이밧긔 千駟萬鍾을 부러 무슴 ᄒᆞ리오

38, 이휘일(1619~1672)

〈현대역〉

가을에 곡식보니 좋고도 좋을시고
내 힘의 이룬 것이 먹어도 맛이로다
이 밖의 천사만종을 부러워한들 무엇하리

이휘일

선비들의 여가활동을 이해하는 작업은 조선시대 여가생활을 이해하는 데 많은 도움을 준다. 선비들은 개인의 의식주가 어느 정도 해결되고 나면, 각 개인은 신체, 인성, 지성 등의 조화를 통해서 행복을 추구하고자 한다. 이 작품의 화자는 가을걷이를 풍족하게 한 후 자신의 행복한 마음을 실어 펴고 있다. 가을에 곡식을 수확하는 시기는 절기로 추분(秋分)에서 상강(霜降)까지 한 달 사이이다. 이 시기를 놓치면 일 년 농사가 흉년이 들게 된다. 우리의 옛날 농촌에서는 가을걷이를 할 때 가장 중요한 것은 비가 오지 않아야 한다는 것이다.

이 작품에서 화자로 보이는 이휘일(1619~1672)은 일년 동안 강수량의 조절이 잘 되어 풍년이 들었으니, 그 만족함으로 다른 것은 부러워할 것이 없다고 주장한다. 이 작품의 화자는 여름철에는 비가 적절하게 오고, 가을철에는 비가 오지 않아 수확하기 좋은 기후를 하늘이 내려주어, 올해에는 농사가 풍년이 들어 풍성한 수확을 거두어들였다고 한다. 이처럼 화자는 자기가 열심히 노력한 땅에서 생산된 곡식을 곳간에 가득히 쌓아두고 그 수확의 기쁨에 흥거워하며 행복해하는 모습을 보이고 있다.

초장에서 화자는 일 년 동안 고생하여 거둔 곡식이 많아서 풍년이 들어 기쁜 마음을 노래하고 있다. 풍년이 드는 것은 사람의 힘으로만 되는 일은 아니고 하늘의 도움이 있었기에 가능하다고 할 수 있다. 중장에서는 자신의 힘으로 노력하여 농사를 지어 얻은 곡식이니 먹어도 정말 제맛이 난다고 한다. 아마도 화자는 자신이 농부가 되어 열심히 노력하여 가을걷이를 하였으니 행복감이 더욱 클 것이다. 이처럼 자신의 노동으로 직접 생산한 가을 농작물을 보면 자신감이 생기고 건강한 육체와 건전한 정신을 가지게 될 것이다. 그리하여 종장에서 화자는 이밖에 천사만종(千駟萬鍾), 즉 말 네 마리가 끄는 수레가 천 대나 되고 쌀 만 석에 해당하는 부귀함도 부러워하지 않는다고 말하고 있다.

이 시조에서는 하늘이 돕고 농부들이 열심히 노력하여 풍년이 들어 만족하고 행복해하는 삶을 노래하고 있다. 화자는 열심히 농사를 지어 육체적으로 건강을 지키고 가을걷이를 끝낸 후에 자신이 수확한 농작물에 대하여 자부심을 가지며 더 이상의 물질적 풍요에는 욕심을 내지 않는 소박한 행복을 추구하는 모습을 보여주고 있다.

심신의 건강은 궁극적으로 정신의 행복에 이른 경우를 말한다고 할 수 있다. 그래서 가을걷이를 중심으로 한 우리 사대부들의 시조에는 물질의 요소가 반영되기는 하겠지만, 소유나 물질보다는 존재나 정신의 측면을 더 강조하는 작품이 있다.

  ᄀ을 다 거두어 드리 셴 하라비 눈비오다 내 골흘야
  지ᄂ 닙 거두 쓰러 자ᄂ 구돌 덥게 씻고

그 밧긔 녀 남은 일이야 구홀줄이 이시랴

34, 작자 미상

〈현대역〉

가을 다 거둔 흰 할아버지 눈비온다고 내가 굶겠느냐

지는 잎 거두어 쓸고 자는 구돌 덥게 하여

그 밖의 다른 일이야 구할 줄이 있으랴

작자 미상

여유로운 생활을 추구하는 여가는 미래의 예방책이라고 할 수 있다. 여가활동은 인간이 지닌 신체의 균형과 건강을 유지하는 일에 상당한 효과가 있기 때문에 여러 가지 질병의 요인을 사전에 예방하는 역할을 한다. 가을에 여문 곡식들을 거두어들이는 일은 농부가 수확하는 행복과 기쁨을 누릴 수 있도록 해 준다. 농부들이 봄철에는 씨를 뿌리고, 여름에는 곡식의 성장을 위해 일을 하며, 가을에는 그 열매를 추수하고, 겨울에는 갈무리한 곡식을 가지고 건강하게 생활하는 일은 최고의 기쁨이라 할 수 있다.

일 년의 하루하루를 건강하고 소박하게 생활하면서 착실하게 가을걷이를 하는 농부들은 최고의 행복과 기쁨을 누릴 수 있다. 다시 말하자면 가을걷이는 농부들이 농장에서 봄철에 씨를 뿌리고 여름철에 곡식을 가꾸고, 가을철에 타작을 하여 곡식을 수확하고 겨울철을 위해 갈무리하는 일련의 노동을 의미한다. 농부는 봄과 여름 그리고 가을까지 자연을 극복하면서 농장에서 열심히 일을 하였다. 이제 겨울이 되면 농부는 휴식을 취하면서 내년의 농사를 준비한

다. 이러한 노동과 여가의 조화로운 삶의 반복을 통해서 농부는 삶
의 의미를 지속적으로 확장시킬 수 있다.

　이 시조는 초장에서 가을걷이를 하고 난 후, 머리가 희게 센 노인
이 눈비가 온다고 굶겠느냐고 질문을 하며 설의적으로 표현하고 있
다. 여기서 눈비는 가을걷이를 하고 난 후의 세금이라든지 소작료
등을 지불해야 하는 상황을 비유적으로 표시하고 있는 것으로 해석
할 수 있다. 그러나 화자는 세금의 횡포라든지 과다한 소작료를 지
불한다고 하더라도 가을걷이를 하고 난 후의 여유로운 마음을 빼앗
아갈 수 없다는 것을 드러내고 있다.

　그리하여 중장에서 화자는 떨어진 낙엽을 거두어 아궁이와 방을
따뜻하게 하고 검소한 생활을 하고자 한다. 우리 사대부들은 생활
주변에 널려 있는 자연의 연료와 천연의 난방장치를 통해서 다시
새로운 생명을 소생시키는 웰빙의 정신을 실천하고 있다. 흙에서
나오는 열은 인체 속으로 깊숙이 침투하여 건강에 좋다고 한다. 이
처럼 화자는 낙엽인 자연을 연료로 하여 방을 따뜻하게 하여 육체
의 건강함을 유지하고 있다. 결국, 종장에서 화자는 그 밖에 남은
일이야 구할 것이 없다고 하면서 현실의 청빈한 삶에 만족하며 정
신적인 여유를 찾고 있다.

　화자는 소유나 물질의 측면보다는 존재나 정신의 측면이 더욱 삶
에서 중요하다고 강조하고 있다. 인간은 의식주, 수면, 성(性)과 같
은 기본적인 욕구가 충족되어야 좀더 고차원적인 욕구를 실현할 수
있다고 하지만, 이 작품에서는 이러한 기본적인 욕구를 뛰어넘어
물욕을 초월하여 소박하고 담담하게 살아가면서 물아일체라는 정
신적 가치나 행복을 추구하며 실현하고 있다고 할 수 있다. 이 작품

의 화자는 현대사회의 여가문화에서 말하는 일(Work)과 휴가(Vocation)를 동시에 즐기는 워케이션(Worcation)의 형태로 일과 휴가를 겸비한 원격근무를 겸하는 것처럼 여겨지게 하고 있다.

개인의 지적 능력을 향상시키는 여가는 노동이나 학습과 상반되는 개념이 아니라 그것이 오히려 자연스럽게 이루어지도록 조성하는 기능을 지니고 있다. 그래서 오늘날 현대사회는 생존을 위해 고군분투하던 시대는 지나갔다고 할 수 있다. 이제 어떤 삶을 살 것인가? '양'보다는 '질'로써 승부를 거는 시대, 이른바 '웰빙(Well-being)족 스타일'이나, '욜로(YOLO: You Only Live Once의 줄임말)족 스타일' 그리고, '파이어(FIRE: Financial Independence Retire Early)족 스타일' 등이 새로운 화두로 등장하고 있다. 현대인들은 물질적 가치나 명예를 얻기 위해 달려가는 삶보다는 마음의 여유를 지니고 정신이 건강한 친구와 함께 삶을 즐기는 것을 행복의 척도로 삼는다. 특히 요즈음 젊은이들은 소비를 극단적으로 줄이고 저축과 투자에 몰두하는 밀레니얼세대(1981~1996년생)들은 경제적 자립을 바탕으로 회사에서 조기에 은퇴를 하고 이후에는 하고 싶은 일을 하며 살아가는 것을 삶의 목표로 삼기도 한다.

우리의 사회가 여가를 강조하면 강조할수록 여가에 대한 부작용도 함께 발생할 수 있다. 속도를 강조하면 강조할수록 저항이 더욱 강해지는 것은 물리학의 법칙이라 할 수 있다. 여가활동에서도 노인들보다 젊은이들은 속도의 여가활동을 무기로 한다. 속도의 여가활동을 무기로 하면 반드시 저항이 생기기 마련이다. 이에 비해 노인들은 느림의 문화를 생명으로 하고 있다. 21세기 현재 우리 사회에서는 속도 위주의 경쟁이 너무 치열하게 진행되어 이제 느림의 문화가 논의되고 있다. 그 이유의 하나는 빠르게 경쟁하다 보니 그 반작용으로 나타나는 것이 느림의 문화라고 할 수 있으며, 다른 하나는 인간이 자연스럽게 본질적으로 가지고 있는 속도를 이미 초월했기에 이제는 자연의 본질로 돌아가자는 것이다.[12]

노년기의 여가활동은 재생산의 수단이나 심신의 피로회복을 위주로 하는 젊은이들의 여가가 지닌 속도의 여가활동과는 그 성격이 근본적으로 다르다고 할 수 있다. 노인들의 바람직한 여가활동은 취미와 오락을 등을 즐기는 일이 아니라 봉사활동, 자아실현, 친목도모, 스트레스 해소, 정보습득, 교육훈련, 문화적 활동 등을 포함하며 다양하고 전반적인 것이 되어야 한다. 노후생활은 생활 그 자체가 여가라고 할 수 있으며 느림의 문화를 실천할 수 있는 기회라 할 수 있다. 노후생활은 여유롭게 그리고 느리게 살아가면서 여가활동을 어떻게 하느냐에 따라서 그 사람 자신의 건강은 물론 삶의 완성도가 달라진다고 할 수 있다.

5. 참살이와 건강한 삶

여가와 교육의 목표는 양극을 이루는 것이 아니다. 교육과 노동 그리고 여가는 모두 인간의 삶을 풍요롭게 만들고 즐겁고 행복하게 만들어준다. 인간의 사회화는 교육의 중요한 부분인데 여유로운 생활을 추구하는 여가는 인간의 평생교육에서도 중요한 역할을 한다.

---

12 윤은기, 「웰빙시대의 時테크」, 『웰빙과 여가문화』, 여가문화학회, 2004.6.10.

현대인들이 지닌 경제수준의 향상은 인간에게 자유시간과 새로운 환경과 그리고 여가활동의 가능성을 이어준다. '누구에게나 자유시간은 주어지나, 아무나 여가활동을 할 수는 없다.'[13]라는 말이 있다. 그만큼 여가가 노동을 위해서도 중요하기에 하는 말일 것이다. 노동과 여가는 동전의 양면처럼 불가분의 관계에 있으며, 과거에는 노동을 위한 여가였다면 지금은 여가를 위한 노동을 중요하게 생각하고 있다. 이러한 시대를 맞이하여 과거 우리의 선비들과 사대부들은 어떻게 여가활동을 했을까?

지금까지 우리는 단풍으로 아름다운 계절인 가을철의 여가활동을 살펴보았다. 여기서는 우리의 옛 사대부들이 가을철에 자연의 생명력을 중시하고 건강한 삶을 살아가기 위해 보여준 여가활동의 모습을 가을의 정취와 한가로운 삶, 즐거운 생활과 건강식의 향유, 가을걷이와 행복의 추구 등을 화제로 한 고시조를 통해서 살펴보았다. 고시조에 나타난 사대부의 여가활동은 삶의 여유와 깊이를 체험하기 위해서 제대로 놀고 건전한 여가생활을 즐기는 모습을 보여주고 있었다. 현대인들도 가을철을 소재로 하고 있는 사대부의 시조처럼 마음의 여유를 가지고 진솔하게 살아간다면, 육체적 건강도 지켜지고 정신적 삶도 윤택해질 수 있을 것이다. 최근 들어 성공보다는 삶의 질을 먼저 추구하는 젊은이들이 크게 늘어나고 있다고 한다. 행복한 삶은 지극히 주관적이라서 계량화할 수 없는 것이지만, 마음의 여유를 가지고 진솔한 벗과 교제를 하는 방법을 통해서도 체험할 수 있다.

---

13 S.de Grazia, 『Of time, Work, and Leisure』, Doubleday & Company Inc., New York, 1964, 5쪽.

우리의 삶에서 단풍의 계절인 가을에는 일상의 바쁜 생활 속에서 짬을 내어 자연 속으로 회귀하거나, 우리가 살아가는 삶의 속도를 줄여서 여유로운 삶으로 가끔씩 전환할 필요가 있다. 현대의 여가 활동은 단순히 물질의 가치와 성장 제일주의만을 추구하던 이전 세대와는 달리 개인주의의 가치관을 바탕으로 자연을 통해서 맑은 정신과 건강한 육체를 원하기에 유행하고 있다고 할 수 있다.

오늘날 우리사회의 젊은이들은 '인생은 한 번 뿐이니 하고 싶은 것을 하고 즐기자'라는 뜻으로 욜로족(YOLO)과 참살이에 관심을 가지면서 웰빙(Well-Being)에 관심이 높은 사람을 일컫는 웰빙족(族)이 있고, 소비를 극단적으로 줄이고 저축과 투자에 집중적으로 몰두하는 파이어(FIRE)족 스타일의 젊은이들이 공존하고 있다. 이들 모두가 삶에서 중요하게 생각하는 것은 정신적으로 자기 만족을 통해서 얻는 건강과 행복이다.

2023년 가을부터 우리들은 옛시조에 나타난 우리 사대부들의 삶의 양식을 본받아 물질보다 정신을 중요하게 생각하고, 여유로운 생활과 느림의 미학을 실천해야 할 것이다.

현대사회에서는 새로운 여가활동의 형태가 생겨나고 있다. 인터넷이라는 정보매체의 발달로 인해 정보와 관련된 일자리가 생겨나 여가생활이 다양해지고 있다. 향후에 어떠한 여가활동이 새롭게 생겨날지를 예측하기는 어려울 것이다.

여가활동에서는 자기만의 개성이 있는 생활을 영위할 수 있는데, 그런가 하면 현대의 여가는 대중성, 획일성, 동질성 등이 지배적으로 작용하여 인간의 주체적 사고나 판단이 도외시되어 도리어 소외감을 느끼도록 만들고 있는 부작용도 함께 존재하고 있다. 여가생

활과 여가활동의 획일성은 매스미디어의 영향과 여가문화의 상업
화가 불러온 파생물이라고 여겨진다. 이러한 상업화되고 획일화하
며 향락화된 여가를 강요받았을 때 과감히 물리치고 자신의 여유롭
고 한가로운 여가활동을 찾아나설 수 있는 용기와 결단이 현대인들
에게 필요하다고 할 수 있다.

사람들은 자연으로 돌아갈 때 가장 편안해진다고 한다. 여가활동
이란 신체적 건강과 정신적인 안정을 목적으로 하는 것이다. 모든
것이 속도의 경제와 '바쁘다 바빠'로 일관하던 한국사회에도 최근에
는 다양한 가치관이 공존하면서 건강과 행복을 추구하는 느림의 문
화가 나타나고 있다. 우리 사회에서 일어나는 느림의 문화는 속도
의 문화에 대한 반작용으로 일어나는 것이고, 우리 사회가 인간이
감당할 수 있는 속도의 문화를 초월했기에 나타나는 것이다.

우리의 삶은 노동중심의 사회에서 노동자의 건강권을 보장하는
현대사회로의 이동으로 말미암아 행복을 중요시하는 여가중심의
사회로 나아가고 있다. 여가시간이 많아지고 여가활동도 다양해짐
에 따라 현대인들은 앞으로 더욱 건강한 육체와 맑은 정신을 강조
하는 여가문화를 추구할 것이다. 이러한 시기에 우리들은 우리의
옛시조에 나타난 여유와 느림의 미학에 바탕을 둔 여가활동에도 관
심을 기울여서 심신이 건강하고 멋있게 사회봉사 활동도 하여야 할
것이다. 그래서 느림의 여가문화에서는 노동과 여가가 물아일체(物
我一體)이며 무위자연(無爲自然)인 것처럼 여겨지는 여가생활을 즐기
도록 지속적으로 학습하고 훈련하여야 할 것이다.

시조문학과
겨울철 사대부의 여가활동

1. 여가활동과 자기계발

　현대사회에서 여가활동은 노동, 사회, 문화, 경제, 정치 등의 영역에서 다양한 형태로 영향을 미치고 있다. 정도 차이는 있지만 사람들은 일반적으로 하루 24시간의 1/3를 노동시간으로 8시간, 또 1/3를 수면시간으로 8시간, 그리고 1/3를 여가시간으로 8시간 등으로 나누어서 사용한다. 사람들은 누구나 물리적이며 자연적인 시간으로 일생의 1/3, 즉 하루마다 8시간 정도를 여가시간으로 소비하면서 생활하고 있다.

　사람들은 자신이 누리고 있는 물리적이고 자연적인 하루 8시간의 여가시간을 어떻게 소비하고 활용하느냐에 따라서 심리적인 시간으로 하루의 여가시간이 1/10이 될 수도 있고, 하루의 1/2이 될 수도 있다. 여가시간은 사람이 일상생활과 직업적 노동 그리고 사회적 의무 등에서 벗어나 자유로운 상태로 휴식을 하고 기분전환을 하면서 자기계발 등을 수행하는 자유롭고 여유있는 시간을 의미한다. 사람은 누구나가 일상생활에서 좋든 싫든 항상 여가시간을 가지고 있으며 이 시간을 얼마나 자신에게 유효 적절하게 활용하느냐에 따라 인생에서의 행복과 성공여부가 가려질 것이다. 여가활동의 기능에는 휴식(休息)의 기능과 기분전환(氣分轉換)의 기능, 그리고 자기계발(自己啓發)의 기능 등이 있다.

자유(自由)로우며 여유(餘裕)로운 생활을 추구하는 여가(餘暇)에서 휴식(休息)의 기능이란 개인이 자유로운 생활체험으로 일상생활이나 근로생활에서 발생하는 육체적이고 정신적인 스트레스를 극복하고 회복하여 삶을 정상화시켜주는 역할을 수행한다.

기분전환(氣分轉換)의 기능이란 인간이 노동이나 일상생활에서 받게되는 긴장이나 스트레스를 완화시켜서 원기(元氣)를 회복시켜서 정상적인 리듬을 유지하는 역할을 수행한다. 여기에는 신체적으로 건강을 유지하는 방법, 심리적으로 안정을 취하는 방법, 교육을 통해서 인간의 지적인 능력을 향상시키는 방법, 올바른 인간관계를 익히게 하는 사회적 방법 등을 배우고 익히는 것이 포함된다. 그리하여 각 개인의 삶의 질을 개선하여 결국에는 인류가 새로운 삶 속에서 새롭고 의미있는 문화를 창조하고 전승하여 발전시키는 역할을 담당하는 것이다.

자기계발(自己啓發)의 기능이란 사람들이 여가활동을 통해서 기본적인 욕구의 충족과 사회적 책임을 완수하며 자기만족을 위한 사회봉사를 수행하면서 자기발전을 추구하고 자기계발의 가능성을 계획하며 살아가고 있다.[1] 인간은 여가활동을 통해서 인간의 굴레인 관습과 제도, 그리고 규율 등에서 벗어나 자기표현, 자기발전, 자아

---

1 강남국, 여가사회의 이해, 형설출판사, 1999, 87쪽 참조.

실현, 자기존경, 사회통합 등의 역할을 통해서 자신이 원하는 심신
이 건강한 삶을 추구하며 살아가기를 소망한다.

사람들에게 주어진 자유로운 시간을 여유롭게 활동하는 여가(餘
暇)의 의미와 유사한 개념의 용어들이 많이 있다. 이러한 단어들은
여가의 대체개념으로 사용되기도 하고, 일부는 여가활동의 유형과
그 개념으로 쓰이기도 한다. 이러한 여가활동의 영역에는 놀이, 관
광, 외식, 축제, 스포츠, 노래방, 찜질방, 예술감상, 리크레이션, 온
라인게임, 영화관람, 길거리 응원 등의 다양한 형태로 여가문화의
인프라를 구축하고 있다. 인공지능과 인터넷의 역할이 강조되는 21
세기 현대사회에서 이러한 여가활동과 그 문화는 계속해서 지속적
으로 확대되고 발전하여 노동의 영역과 구별하기 어려운 여가의 개
념과 그 영역으로 발전하며 진화하고 있다.

최근에 우리나라는 점차로 여가를 중요하게 생각하여 노동의 가
치에 몰입하는 문화를 배척하면서 그 가치를 객관적으로 인정하는
데 무척이나 인색해지는 시대로 나아가고 있다. 사람은 누구나 일
과 여가를 반복하며 살아가고 있다. "누구에게나 자유 시간은 주어
지지만, 아무나 여가활동을 할 수는 없다."[2]라는 말이 있다. 그만큼
여가(餘暇)가 노동(勞動)을 위해서도 중요하기에 하는 말일 것이다.

인간의 삶에서 노동과 여가의 적절한 균형과 그 실천이 중요하게
대두하기 시작하였다. 인간의 삶은 아동기, 청소년기, 성인기, 그리
고 노년기 등의 4가지 주기로 세분화할 수 있다. 아동기는 태어나서
2세까지의 유아기를 거쳐 대략 11세에서 12세 정도까지이다. 아동

---

2 S. de Grazia, 『Of time, Work, and Leisure』, Doubleday & Company Inc., New
   York, 1964, 5쪽.

기는 심신의 발달이 가장 **빠른** 시기라 할 수 있다. 이 시기의 여가
선택은 경제적이고 시간적인 측면에서 부모에게 제한되지만 다양
한 놀이를 통해서 어머니에게 의존하는 놀이를 같은 또래들에게 의
존하도록 도와줌으로써 사회성을 늘려준다. 이 시기의 주요한 놀이
로는 공놀이, 기구타기, 공기놀이, TV시청, 독서하기 등이 있다.

　청소년기는 유아기와 성년기의 사이로 사춘기가 시작된다. 이 시
기에는 생식기가 발달하여 외형상으로는 어른스럽게 달라지는 신
체적 변화가 일어나고 도덕성과 인지적 능력이 발달하여 자아정체
성의 기반이 조성되어 성인기로 접어들게 된다. 이때는 성인으로
성장하는 과도기로서 자발적인 여가와 신체발육을 위한 다양한 스
포츠 활동 등의 여가활동을 체험하게 된다. 이 시기에 우리 사회의
청소년들에 대한 성장의 걸림돌은 대학입시를 통한 출세지향의 사
회적 풍토와 학부모의 지나친 자녀들의 공부경쟁에 있다. 이러한
교육의 문제를 해결한다면 청소년들의 압박과 스트레스는 상당히
완화될 것이며, 청년들이 지금보다 훨씬 긍정적이고 적극적인 자기
계발로 상상력과 창의력으로 성인기를 설계하고 준비하는 황금의
시기로 만들 수 있을 것이다.

　다음은 성인기와 노년기의 여가활동을 간략하게 살펴보자. 현행
민법에 의하면 만19세가 되면 성년으로 인정한다. 여기서는 성인기
를 20대와 30대 그리고 40대와 50대 등으로 구분하기도 한다. 20~
30대의 경우에는 사회활동을 시작해서 경제적으로 독립하여 취미
와 오락 활동에 많은 시간을 투자하고 있으며, 40~50대는 중장년
기로 직업과 자녀 그리고 가족을 가진 사람들로서 일반적으로 소득
이나 시간적 여유가 있으며 인생의 행복과 즐거움을 추구하는 데

여가시간을 많이 보낸다.

노년기인 60대 이후에는 직장에서 은퇴하고 가정에서도 뚜렷한 역할이 없어 많은 시간을 여가활동에 투자할 수 있다. 노년기의 여가생활은 건강과 다양한 활동성이 중요한 결정요소가 된다. 건강하고 자유롭게 움직일 수 있는 사람에게 은퇴는 더 많은 자유시간과 다양한 여가를 즐길 수 있는 새로운 기회를 가져다준다. 노년기의 여가생활은 적당한 일과 활동, 그리고 즐거운 여가와 놀이를 통해서 즐겁고 행복한 삶을 영위할 수 있다.[3]

이처럼 사람들의 일생을 통해서 주어지는 노동과 여가는 동전의 양면처럼 불가분의 관계에 있다. 과거에는 노동을 위한 여가였다면 지금은 여가를 위한 노동을 중요하게 생각하고 있다. 최근 우리나라에서는 단순노동을 평가절하하여 취업을 꺼리는 사람들이 증가하고 있다고 한다. 이러한 단순한 노동의 가치를 평가절하는 태도는 단순한 노동뿐만 아니라 지식노동의 경우에도 적용되기도 한다. 이러한 태도의 근본적인 이유에는 자신의 일을 제대로 바라보지 못하는 혼란한 상황에 연결되어 있지 않은지 우려와 염려가 된다.

사람들은 노동과 여가의 관계를 다양한 패러다임으로 분석하고 있다. 패러다임(paradigm)이란 '사물의 현상과 틀을 이해하는 데 적용되는 인식의 틀'이라고 할 수 있다. 학자들은 크게 노동과 여가의 관계를 연장(extention), 대립(opposition), 상호중립(neutrality) 등의 다양한 시각으로 정리하고 있다.

먼저, 여가와 노동을 구분하지 않고 일의 연장으로 판단하는 입

---

3 조명환·김희진, 『여가사회학』, 백산출판사, 2016, 91-101쪽 참조.

장이다. 이러한 학자들은 일과 여가를 서로 유사한 구조 및 행동목적으로 성립하여 노동과 여가를 구별하지 않으며 정신적으로 동일한 것으로 판단하는 시각이다. 이에 해당하는 직업은 전문직이 다수이다. 이 사람들은 자신의 일이나 노동에 대해서 좋은 느낌을 갖고 있다고 할 수 있다.

다음으로 노동과 여가의 상호대립적 관계를 주장하는 입장이다. 이러한 사람들은 일과 여가의 불일치성과 양자 사이의 명확한 경계선을 강조하고 노동과 여가를 이질적인 대립관계로 보는 시각이다. 이에 해당하는 직업들은 육체적 노동을 하는 사람들로서 힘든 노동을 여가로써 치유하고 회복하려는 의지를 지니고 있다. 이 사람들은 노동을 지루하게 느끼고 있다고 할 수 있다.

마지막으로 노동과 여가를 상호 중립적 입장을 지지하는 시각이다. 이러한 사람들은 위의 두 입장과는 달리 영역 간 구분이 존재한다는 모호한 입장을 주장하고 있으며, 노동과 여가를 어느 정도 독립된 자기충족의 병립된 관계를 지니는 것으로 보려는 시각이다. 이러한 관점은 노동에 대한 긍정과 부정의 어느 쪽에도 찬성하지 않고 중립을 지키고 있다. 이 사람들은 노동으로 인해 자신들이 손해를 보고 있다고 판단하는 경우가 많다.

노동은 우리들에게 자본(資本)을 마련하여 주지만 여가는 우리들에게 행복(幸福)을 제공하여 준다. 과학기술이 급속도로 발전하고 있는 현대사회에서 조선시대 선비들과 사대부의 여가활동을 살펴보는 것은 조선시대 선비들의 여가활동에 관한 인생의 지혜를 현대사회에서 다시 정리하고자 하는 마음을 반영하고 있다. 바쁘게 돌아가는 현대사회를 맞이하여 여기서는 우리의 조선시대 선비들과 사대부들의 겨울철 여가활동을 검토해보고자 한다.

현대인들처럼 조선시대 선비들의 일상생활도 노동과 여가로 나누어질 수 있는데, 선비들이 여가를 마음껏 누릴 수 있는 공간은 누정(樓亭)과 별서(別墅) 그리고 풍류방(風流房) 등의 정원(庭園)이나 원림(園林)의 공간이라고 할 수 있다. 이러한 원림(園林)의 공간을 배경으로 하고 있는 시조에는 조선시대 우리 사대부들이 일상생활에서 체험한 여가활동의 다양한 양상을 잘 나타내고 있다.

조선시대에는 사대부들이 자연을 대상으로 하여 여행, 사색과 명상, 시와 노래 등을 즐겼고, 서민들은 자신들이 경험한 사실을 탈춤이나 판소리 등의 예술로 승화시켜 즐겼다. 특히 조선후기 두레공동체는 마을과 마을끼리 집단놀이나 대동놀이를 통해서 피지배계층의 여가문화를 잘 보여주고 있는 증거라고 할 수 있다.[4] 이처럼 우리 민족은 시조가 유행했던 조선시대에도 여행, 민속, 음주, 가무 등의 여가활동을 하면서 생활하였다고 할 수 있다.

여기에서는 시조에 나타난 선비들과 사대부들의 여가활동 중에서 겨울철을 배경으로 하고 있는 작품에서 여가문화의 양상을 찾아서 분석하여 보기로 한다. 겨울철 사대부들의 여가활동과 관련지어 논의하고자 하는 시조는, 고려 말에서부터 21세기인 현재에 이르기까지 700여 년에 걸쳐 창작되고 있는 한국의 대표적인 정형시로, 우리 문화에서 중요한 위치를 차지하고 있다.

시조에 나타난 여가활동에 대한 연구는 사설시조[5]와 사대부시조[6]

---

4 임재해, 『한국민속과 오늘의 문화』, 지식산업사, 1994, 208-210쪽.
5 류해춘, 「사설시조에 나타난 여가활동의 양상」, 『시조학논총』 21집, 한국시조학회, 23-46쪽.

로 나누어 살펴본 필자의 논문들이 있다. 더욱이 우리의 옛시조에
서는 사대부들이 경험한 여가활동을 다른 갈래보다도 다양하게 포
함하고 있다. 사대부시조에 나타난 여가활동의 양상[7]에는 개인의
신체회복을 위한 휴식과 관련된 내용의 작품도 있으며, 개인의 일
상적인 권태를 풀기 위해 기분전환을 내용으로 하는 작품이 있고,
개인이 자유롭게 자기를 초월하여 창조력을 키우고 발휘할 수 있는
자기계발의 작품도 있다.

이 글에서는 자연시조와 산수시조에 나타난 선비들과 사대부들
의 겨울철 여가활동이 오늘날 우리 사회에서 유행하고 있는 여가문
화의 정신과 서로 상통한다고 보고 사대부들의 여가활동이 일상생
활에 끼친 영향과 그 기능을 검토하고자 한다. 그래서 이 글은 겨울
철을 배경으로 하고 있는 자연시조를 통해서 우리의 선조들이 표현
하고 있는 1) 겨울의 정취와 삶의 재충전, 2) 안전한 먹거리와 건강
한 삶, 3) 더불어 사는 삶과 즐거운 생활 등으로 분류하고, 사대부시
조에 나타난 겨울철의 여가활동을 분석하여 보기로 한다.

이러한 작업은 우리 민족의 정체성을 잘 드러내고 있는 사대부시
조를 통해서 지금의 세상에 화두가 되고 있는 참살이와 여가문화의
정신을 우리의 전통문화와 연결시키려는 노력의 하나라고 할 수 있
다. 조선시대 시조에 나타난 여가활동을 분석하는 작업은 바쁘게

---

6 류해춘, 「시조에 나타난 가을철 사대부의 여가활동」, 『시조학논총』 23집, 2004,
  49-69쪽.; ____, 「시조문학에 나타난 여름철 사대부의 여가활동」, 『우리문학연
  구』 20호, 2006, 61-80쪽.; ____, 「시조문학에 나타난 봄철의 여가활동에 대한
  시고」, 『어문논집』 34집, 2006, 153-172쪽.
7 J.Dumazedier, 『Toward a Society of Leisure』, The Free Press, New York, 1967,
  14-17쪽 참조.

살아가는 현대인들에게 느리고 여유롭게 살아가는 조선시대 선비
들과 사대부들의 지혜를 간접적으로 배우도록 할 것이다.

2. 겨울의 정취와 삶의 재충전

여가는 새로운 삶의 근본이라 할 수 있다. 특별히 자기계발과 자
아확장의 기능을 지닌 여가는 우리의 삶에서 새로운 지평을 열어주
는 역할을 한다. 현대사회에서 사람들은 행복을 추구하며 '삶의 질'
이라는 화두를 중심으로 인간의 삶을 재조명하는 가운데 여가시간
을 활용하는 자유로운 생활을 강조하고 있다.

한국의 겨울은 눈이 내려 온 세상을 하얗게 덮을 때가 가장 아름
답다고 한다. 눈이 오는 소리에 맞추어 온 천지는 은세계가 되어
조용해지고, 사람들은 마음의 여유를 가지고 휴식을 하게 된다. 휴
식은 몸과 마음에 여유를 주어 삶을 아름답게 한다. 겨울에 눈이
산하를 덮으니 천지는 고요하고 적막해진다. 이때에 사람들은 삶의
질을 향상시키는 휴식을 취할 수 있다.

여가활동의 긍정적 기능인 휴식은 마음에 여유를 주고, 내일을
위해서 재충전을 할 수 있는 중요한 시간을 제공하여 준다. 삶의
질을 중시하고 개성적인 삶의 태도를 존중하는 21세기 인공지능과
지식정보화 사회에서 이제 '쉰다는 것'은 '일하는 것' 못지않게 중요
한 요소이다. 많은 사람들에게 자유를 주고 생활에 활력을 주는 여
가활동이 새로운 문화코드로 자리를 잡아 가고 있다.

요즈음 우리는 너무 바쁘게 살아가고 있는 것은 아닌지 모르겠

다. 일상생활인 노동에 너무 바쁜 우리들에게 시조에 나타난 겨울철의 여가활동을 검토하는 일은 노동에서 휴식으로 시각을 옮기는 작업이라 할 수 있다. 여기서는 겨울철을 주제로 하고 있는 시조에 나타난 산수자연을 완상하면서 한가롭고 여유있게 살아간 우리 선인들의 삶의 지혜와 여가활동을 검토하여 보고자 한다.

> 山村에 눈이 오니 돌길이 뭇쳐셰라
> 柴扉를 열지마라 날 츠즈리 뉘 이스리
> 밤듕만 一片明月이 긔 벗인가 ㅎ노라[8]

신흠(1566~1628)

화자는 겨울철에 눈이 오자 사람과의 관계를 끊고 휴식을 취하면서, 인생을 회상하고 삶을 재충전하는 모습을 보여주고 있다. 이처럼 휴식은 몸과 마음에 여유를 주어 삶을 풍요롭게 한다. 하루가 다르게 변하는 21세기 정보화 사회를 살아가는 우리에게 필요한 것은 위의 시조처럼 눈이 오는 겨울철에 여가시간을 가지고 편안하게 휴식을 취할 수 있는 여유로운 마음을 가지는 것이 아니겠는가? 눈이 산하를 덮으니 천지는 적막하고 고요하다. 이때에 사람들은 삶의 질을 향상시키는 휴식을 취할 수 있는 시간을 가질 수 있다.

초장에서 화자는 산촌에 눈이 오니 돌길이 눈에 묻혀 있다고 한다. 겨울철에 눈이 와서 산촌의 오솔길인 돌길마저도 눈에 묻혀 있는 서경을 표현하고 있다. 고요함과 적막함을 연상하는 구절이라

---

8 심재완, 『역대시조전서』, 세종출판사, 1972, 1457번 참조.

할 수 있다. 중장에서 화자는 시비(柴扉)인 사립문을 열지 말라고 하면서 자신을 찾을 사람이 없다고 한다. 눈이 오니 사람의 발길이 끊어지는 자연의 이치에 순응하면서 자연과 함께하는 인간의 정서를 표현하고 있다. 종장에서 화자는 밤이 되어 한 조각의 밝은 달을 벗으로 생각하면서 삶의 재충전을 위한 휴식을 취하고 있다. 낮에는 아무도 찾아오지 않지만, 밤이 되니 달이 자신과 벗하러 찾아오고 있다. 화자의 마음과 상통하는 한 조각의 달은 눈, 밤, 돌길, 사립문 등의 장애를 극복하고도 찾아올 수 있는 존재이다.

위의 시조에서 화자는 겨울에 눈이 온 경치에 도취되어 자연을 감상하면서 달과 함께 삶의 에너지를 재충전하기 위해서 여가활동으로 하늘의 달을 바라보며 명상을 하고 있다. 요즈음 건강하고 아름다운 몸과 마음을 가꾸기 위해서 젊은이들은 요가를 비롯한 단전호흡, 명상, 참선 등을 하고 있다. 우리도 조용히 눈을 감고 세상을 품에 안고서 오직 떠오르는 한 조각의 달을 바라보면서 인생을 반성하고 정리한다면, 이 시조의 화자처럼 세속의 티끌과 먼지를 빨리 씻어내면서 조용한 휴식과 함께 삶의 재충전을 이룰 수 있을 것이다.

최근 우리 사회에서 자연스럽게 번져가는 휴식문화는 단순히 놀고 마시는 소모적인 삶의 형태가 아니다. 심리적 안정을 가져다주는 휴식이 여가문화의 한 부분으로 자리 잡아 가고 있으며, 가족과 함께 여유를 즐기는 여행은 현대사회에서 바람직한 여가문화로 다양하게 발전하고 있다. 물질적인 풍요가 세상의 모든 것을 가져다준다는 물질만능주의에 대한 믿음은 심신이 피폐해지고 자꾸만 무엇인가에 쫓기며 살게 한다. 심신의 수련은 결국 행복해지기를 원

하는 현대인들의 본능적인 다가섬이며 참된 나를 찾기 위한 노력이
라고 할 수 있다.

　다음으로는 조선시대 선비들이 명상으로 심리적 안정을 추구하
며 참된 자아를 찾아가는 시조를 살펴보기로 한다.

　　어와 져므러 간다 宴息이 맏당토다
　　ᄀᆞᄂᆞᆫ 눈 ᄲᅳ린 길 블근 곳 훗터딘 듸 흥치며 거러 가셔
　　雪月이 西峰의 넘도록 松窓을 비겨 잇쟈[9]

윤선도(1587~1671)

　위의 시조는 「어부사시사」에 있는 작품으로 선비들이 겨울의 정
취 속에서 명상을 하면서 삶의 재충전을 노래하고 있는 시조이다.
삶의 재충전은 개인의 삶을 여유롭게 하고, 인성을 계발하여 우리
사회를 건강하게 한다. 각 개인이 삶의 재충전을 위해서 건전하고
창조적인 활동을 한다면, 우리 사회는 만족과 기쁨이 가득하고 즐
거운 사회가 될 것이다. 겨울철에는 특히 편안하게 쉴 수 있는 시간
이 상대적으로 다른 계절보다 많다고 할 수 있다.

　초장에서 화자는 겨울철에 날이 저물어 가니 편히 쉬자고 한다.
봄철이 다가오는 겨울철에는 상대적으로 날이 빨리 저물어 온다.
그래서 휴식의 시간이 다른 계절보다 길다고 할 수 있다. 긴 휴식
시간을 어떻게 보낼 것인가가 문제라고 할 수 있다.

　중장에서 화자는 '가는[細] 눈'이 오고 난 뒤에 붉은 꽃이 흩어진

---

　9 박을수, 『한국시조대사전』, 아세아문화사, 1992, 2758번 참조.

길을 즐겁게 걸어가고자 한다. 피로하고 지친 사람들에게 원기를 북돋아 주는 방법으로 아름다운 경치를 배경으로 산보하며 산뜻하고 신선한 공기를 마시면서 음이온의 충만한 에너지를 느끼게 하는 것보다 기분이 좋고 효과적인 여가활동은 없다고 할 수 있다. 즐거운 여가활동과 내 삶을 즐겁고 건강하게 유지하기 위해서는 나태하고 지루한 생활의 반복을 피하고 신선하고 즐거움을 주는 활기찬 생활을 지속해야 한다. 하루의 일과를 마치고 지쳤을 때, 꽃이 있는 눈길을 활기가 넘치는 즐거움으로 걸어가는 일은 몸에 활력을 주어 심신을 건강하고 편안하게 한다.

종장에서 화자는 눈 속의 달이 서쪽으로 질 때까지 소나무의 창가에 비껴 앉아 명상을 하면서 한가로움을 즐기고 있다. 그리고 화자는 눈이 오는 겨울의 정취를 만끽하면서 심신의 안정을 추구하고 있다. 겨울철에 달, 눈, 붉은 꽃, 소나무 등이 어우러진 자연환경은 매연과 공해로 가득한 현대의 도회지 문명과 함께 살아가는 사람이라면 그 맛과 멋이 어떤 것인지 충분히 추측해서 알 수 있다. 이러한 청량감 있는 치유의 숲속에서 하루만, 아니 단 몇 시간만이라도 지내보면, 정신이 개운해지고 숨통이 확 트이는 신비한 기분을 느끼게 될 것이다. 이러한 경치에서 명상을 하면서 걸어가는 여가활동은 노동으로 지친 사람으로 하여금 기분전환을 가져다주고 삶을 다시 창조하도록 하는 원동력을 제공할 것이다.

겨울철 시간이 한가로울 때 하얀 눈과 붉은 꽃이 핀 길을 즐겁게 걸으면 몸의 활력이 충만해진다. 우리들도 이 시조의 화자처럼 도심의 찌든 공기에서 벗어나 가끔씩 자연의 신선한 공기를 맡을 수 있는 눈 속의 길을 천천히 걸으면서 기분전환을 하여 보자. 이처럼 깨끗하고 청정한 지역에서 뿜어 나오는 시원한 공기를 쐬면서 걸어가는 여가활동은 우리의 몸 안에 있는 혈액에 신선한 산소를 공급하고, 우리의 심신을 즐겁게 하는 음이온을 공급받아 우리의 정신건강에 도움을 줄 것이다.

그리고 저녁에는 따뜻한 방안에서 소나무가 그림자로 비친 창을 통해 눈이 온 자연경치와 하늘에 달이 지는 모습을 감상한다면 우리의 스트레스는 한꺼번에 날아가 버릴 것이다. 노동을 하면서 하루종일 실내에만 갇혀 있다가 자유로운 시간에 실외로 나와서 자연 속을 거닐면서 겨울철의 아름다운 경치를 감상하는 일은 겨울철에 우울해지거나 무기력해지는 이른바 계절성 우울증을 치료해주며 삶을 재충전하는 훌륭한 방법이 될 것이다.

3. 안전한 먹거리와 건강한 삶

현대의 여가문화는 물질적인 부를 강조하는 현대 자본주의 산업사회의 문제점을 인식하고 육체와 정신이 건강한 조화로운 삶을 추구하는 사람들이 늘어나면서 생겨난 하나의 문화코드이다. 현대인들이 추구하는 삶의 목표는 단순히 경제적인 복지보다는 심신의 행복과 안녕을 추구하는 방향으로 변해가고 있다.

웰빙(well-being)을 추구하는 사람들은 고기 대신 생선과 유기농 식품을 먹고 가정에서 어머니가 만들어 준 음식을 선호한다고 한다. 주말에는 노동, 도심, 스트레스 등에서 해방되어 유기농 야채와 지역의 농산물을 즐기면서 건강에 관련된 취미활동을 하고 자신을 위해서 시간을 소비하고 있다. 이러한 사람을 우리 사회는 웰빙족이라는 신조어를 만들어내었다.

최근에는 '그 지역의 사람에게는 그 지역에서 나는 먹거리가 좋다.'라는 말이 유행하고 있다. 요즈음에 자주 사용되는 신토불이(身土不二)라는 용어가 대표적인 말이다. 이 말은 1989년 우루과이 라운드 이후에 한국의 농업이 몰락의 위기에 처하자 농협에서 이 표현을 적극적으로 사용하면서 널리 알려졌다. 로컬푸드(Local food)라는 말과 비슷한 용어이다.

이 말은 몸과 땅은 분리될 수 없다는 뜻으로, 우리 땅에서 나는 음식을 먹으라는 말이다. 사람의 체질은 살고 있는 그 땅의 풍토와 같을 때, 즉 몸과 땅이 동질성을 유지할 수 있을 때 가장 건강하다고 한다. 요즘 건강을 위해 좋은 음식을 가려먹으려고 힘쓰는 사람들이 늘어나고 있다. 현대인들의 대표적인 질병인 비만, 고혈압, 당뇨 등은 잘못된 식생활에서 비롯된다고 한다. 깨끗한 음식을 먹으면 몸이 깨끗해지고, 기름기가 많은 음식을 먹으면 몸이 살찌기 마련이다. 건강한 삶을 추구하는 사람들은 자연식으로 식사를 하려고 하며, 국내에서 생산된 깨끗하고 신선한 먹거리를 요리해서 먹으려고 한다.

> 질가마 조히 씻고 바희아릐 싯 물 기러
> 픗쥭 들게 쑤고 져리 짐쳐 쓰어내니
> 世上에 이 두 마시야 눔이 알가 ᄒ노라[10]

김광욱(1580~1656)

---

10 심재완, 『역대시조전서』, 세종출판사, 1972, 2700번 참조.

양력으로 12월 21일쯤인 동지(冬至)가 되면 겨울철 중에서 가장 밤이 긴 날이 된다. 이 동짓날은 음기(陰氣)가 가장 왕성한 때이면서 비로소 양기(陽氣)가 처음 돋아나는 시기가 된다. 옛날 풍속에는 이때를 진정한 의미의 새해로 여겨, 팥죽을 먹고 나면 나이를 한 살 더 먹는다고도 했다.

초장에서 화자는 가마솥을 깨끗하게 씻고 바위 아래에 있는 샘물을 길어서 음식할 준비를 하고 있다. 깨끗하고 청결한 생활과 가마솥의 음식은 우리의 전통적인 음식의 유형이라고 할 수 있다. 전기밥솥에서 하는 음식보다는 가마솥에 음식을 하는 것이 우리의 몸에 이롭고 밥맛이 있다고도 한다. 바위 아래에서 천연으로 바로바로 솟아나는 찬물을 길러서 가마솥에서 지은 맛있는 밥과 바위에서 솟아나는 좋은 물로 음식을 준비하고자 한다. 전문가에 의하자면 사람에 따라 다르지만 성인은 하루에 2리터 정도의 물을 마셔야 한다고 한다. 좋은 물은 우리 몸에 쌓인 노폐물을 씻어내 주고, 신선한 영양분을 공급해주는 기본 영양분의 역할을 하며, 깨끗한 피를 생성해주는 작용을 한다.

중장에서 화자는 팥죽을 쑤고 김장김치를 꺼내어 먹는 모습을 묘사하고 있다. 건강하기 위해서는 가정에서 직접 만든 반찬과 음식 그리고 야채를 많이 먹어야 한다. 이 작품에 등장하는 잡곡인 팥은 건강을 지켜주는 영양의 보물창고이며, 섬유질이 많이 든 김장김치는 겨울철 영양의 보고라고 할 수 있다. 팥죽은 팥과 찹쌀, 그리고 찹쌀가루 등이 함께 들어가는 영양식이라 할 수 있다. 잡곡은 몸에 좋으며 우리 몸에 꼭 필요한 기초 식품군 중에 하나이다. 팥과 콩 등이 포함되는 잡곡은 단백질, 섬유질, 각종 탄수화물 등의 영양분이 풍부해서 영양이 부족하기 쉬운 겨울철 음식으로 빠질 수 없는 중요한 식품이라 할 수 있다. 팥죽에 곁들여 먹는 김치는 소화를 도와주는 기능을 함으로써 팥죽과 아주 궁합이 잘 맞는 음식이라 할 수 있다. 여기서 우리는 선조들의 음식생활에 스며든 지혜를 엿볼 수 있다.

종장에서 화자는 세상에서 김치의 맛과 팥죽의 맛이 최고라고 하고 있다. 겨울철 오후에 소화가 잘되는 팥죽을 쑤어 살얼음이 살짝 뜬 시원한 동치미를 곁들여 식사를 하면 그 맛이 아주 좋다. 이처럼 화자는 궁합이 잘 맞는 두 가지 음식 섭취를 통해서 겨울철에 부족하기 쉬운 영양을 보충하고 있는데, 이는 옛날에도 우리 조상들이 올바른 먹거리 문화를 형성하고 있었음을 보여주고 있는 예가 된다. 현대인들이 건강하게 살기 위해서는 깨끗한 식생활과 좋은 물을 마시는 일 그리고 잡곡밥을 먹는 것이 중요하다고 할 수 있다.

이처럼 우리 선비들은 시조문학에 나타난 여가문화를 통해서 봄이 되면 파릇파릇 돋아나는 봄나물을 먹고, 겨울철에는 김장김치와 팥죽을 쑤어먹으면서 제철에 필요한 영양분을 섭취하고 있음을 알 수 있다. 우리 몸은 제철과 가까운 지역에서 생산되는 식품이 몸에 잘 적응한다고 한다. 이처럼 화자는 겨울철에 먹을 수 있는 별미 음식인 팥죽과 김장김치를 먹으면서 제철에 필요로 하는 영양분을 공급받는 건강한 생활을 하고 있다.

하지만 21세기인 오늘날 우리 사회에서 일어나고 있는 여가문화의 음식과 산업들은 지나치게 경쟁하며 상업주의의 경향으로 흐르고 있어 심신의 건강과 행복이라는 여가문화의 본질을 잃고 있지 않은지 하는 의심이 강하게 생기기도 한다. 웰빙이나 여가문화의 이름이 붙은 대부분의 제품들은 일반제품에 비해 상당히 높은 가격에 팔리고 있어 경제적 능력이 부족한 계층에서는 상대적인 박탈감을 느낄 수가 있어 역기능이 발생하기도 한다.

　그래서 겨울철에 건강을 위해 먹는 음식에 어머니들이 정성을 다하는 또다른 시조를 살펴보기로 한다. 현대인들도 사대부시조의 작가들처럼 한번씩 제철에 알맞은 별미음식으로 식사를 하면 건강한 생활을 할 수 있을 것이다.

　　北風이 노피 부니 압 뫼히 눈이 딘다
　　茅簷(모첨) 츤 빗치 夕陽이 거에로다
　　아히야 豆粥(두죽) 니것 ᄂᆞ냐 먹고 자랴 ᄒᆞ로라[11]

신계영(1577~1669)

　콩을 밭의 소고기라고도 한다. 겨울철에는 가을에 추수한 콩을 재료로 해서 많은 음식을 만들 수 있다. 콩에 포함된 영양소는 혈중 콜레스테롤을 낮추고 동맥의 혈관을 확장하고 청소를 해서 심혈관 질환을 예방한다고 한다. 이처럼 콩은 밭의 쇠고기로서 질병을 예방하는 많은 영양소를 지니고 있는 제철의 음식이다.

　초장에서 화자는 북풍의 차가운 바람과 함께 앞산에 눈이 오는 경치를 묘사하고 있다. 겨울철 눈이 오면 한가로운 시간을 가질 수 있다. 가을에 거둔 콩을 갈무리하였다가 우리 어머니들은 겨울에 부족하기 쉬운 영양분을 공급하기 위해서 시간을 내어서 겨울철 별

11　박을수, 『한국시조대사전』, 아세아문화사, 1992, 1892번 참조.

미음식인 콩죽을 만들어 가족들에게 단백질을 보충하게 했다. 무슨 음식이든지 가까운 땅에서 제철에 나는 재료로 요리한 음식을 먹게 되면 완전하고 건강한 먹거리에 가깝다고 할 수 있다. 농산물이든 수산물이든 제철에 나는 재료로 음식을 만들어 먹으면 몸에 좋은 영양분이 많다고 한다.

중장에서 화자는 초가의 처마 끝에 차가운 빛이 들어온다고 하니 아마도 해가 질 무렵의 저녁때가 다 되었을 것이다. 그런데 별미로 만드는 음식인 콩죽은 아직도 소식이 없다. 별미로 만드는 음식인 콩죽을 요리하는 시간은 아마도 많이 걸리는 모양이다. 옛날에는 적절한 분쇄기가 없어서 콩을 가는 데 많은 시간이 흘렀을 것이다. 맷돌을 이용하려면 오랫동안 사용하지 않았던 맷돌을 청소를 해야 하고, 다시 정상적으로 가동하는지 시험을 해야 했던 것이다. 겨울철 시골에서 여유로운 시간에 어머니가 만들어주는 음식을 먹기 위해서 시간을 기다리던 추억이 있는 사람은 짐작할 수 있을 것이다.

종장에서 화자는 음식을 기다리다가 지쳤는지 콩죽이 익었느냐고, 아이에게 물으면서 너무 늦게 나오는 별미음식을 기다리고 있다. 이처럼 화자는 신토불이로 된 토속음식을 기다리고 있으면서 자연스럽게 한 편의 시조를 부르는 여유로운 마음을 가지고 있다.

건강의 전문가들은 간식이나 별미로 햄버거, 피자, 치킨 등과 같이 기름에 튀긴 식품을 먹지 않는 것이 육체적인 건강을 위해서 중요하다고 한다. 이런 식품들은 불특정 다수의 소비자를 위해 대량으로 생산되는 식품이기 때문에 개인의 영양이나 건강에 대해서는 다소 소홀하게 음식을 요리할 수밖에 없다. 이런 식품보다는 순수한 자연산인 우리의 콩이나 밀로 만든 죽이나 국수 등을 집에서 만들어 먹는 것이 좋다고 할 수 있다.

우리나라의 조선시대 선비들은 오늘날 참살이를 추구하는 웰빙족처럼 몸과 마음의 건강을 추구하면서 패스트푸드(fastfood)의 음식보다는 가정에서 만든 슬로우푸드(slowfood)의 음식을 더욱 선호하였다. 이러한 측면에서 현대인들이 추구하는 삶의 목표처럼 단순히 경제적이고 정치적인 출세보다는 심신의 안녕과 행복을 추구하는 선조들의 지혜로운 음식문화와 그 여유로움을 엿볼 수 있다.

4. 더불어 사는 삶과 즐거운 취미생활

여가(餘暇)는 노동이나 수면 등의 시간을 제외하고 휴식을 위해서 소비하는 자유로운 시간이다. 여가문화의 척도에는 육체적으로 질병이 없는 건강한 상태뿐 아니라 직장이나 공동체에서 느끼는 소속감이나 성취감의 정도, 여가생활이나 가족원 간의 유대, 심리적 안정 등의 다양한 요소를 포함하고 있어야 한다. 여유로운 생활이라는 의미를 지닌 웰빙, 행복, 복지 등의 의미는 근본적으로 다분히 주관적인 용어인데도 불구하고, 현대인들은 다른 사람들과 여가문화의 수준을 비교하며 서로 경쟁하게 되었다.

오늘날 현대인들은 눈코 뜰 새 없이 바쁜 세상사에 쫓겨 자신도 모르게 자유로운 시간의 여가활동을 하면서도 경쟁과 속도의 노예가 되어 서로 경쟁하며 살아가고 있다. 항상 바쁜 일에 쫓기다 보면 몸과 마음이 황폐해지기 마련이다. 그래서 현대인들은 남들이 생각하는 외면적인 것보다는 자신이 스스로 행복해지는 삶을 추구하고 있다. 즉, 불필요한 만남이나 시간을 과감하게 줄이고 자신만의 시간을 갖도록 노력하는 것이 중요하다.

여유롭게 생활하는 여가란 물질적 이익을 바라지 않고 순전히 즐거움 그 자체를 위해서 자유롭게 선택하고 취미활동을 하는 광범위한 영역을 두루 아우를 때 사용하는 단어이다. 여가생활의 진정한 가치는 새로움과 변화를 긍정적으로 수용하여 새롭게 발전시키는 과정을 거치면서 이루어진다. 인간은 정신적 동물이며 창조의 존재이다. 여가활동에 포함되는 취미생활을 통해서 얻어지는 건전한 정신과 건강한 신체는 인간의 심신안정과 자기계발을 촉진시킴으로써 인간이 즐길 수 있는 최대의 행복을 누릴 수 있게 해준다.

그러므로 여가활동의 하나인 취미생활은 정신의 차원에서 무한한 인간문화와 가치관, 그리고 정체성과 창의력[12]을 기르게 하는 요인 중의 하나이다.

눈으로 期約(기약)터니 네 果然(과연) 푸엿고나
黃昏(황혼)에 달이 오니 그림 즈도 셩긔거다
淸香(청향)이 盞(잔)에 떳스니 醉(취)코 놀녀 허노라[13]

안민영(1816∼?)

화자는 취미생활로 매화를 기르고 있다. 동양에서 사군자의 하나로 꼽히는 매화는 절개를 지키는 꽃으로 선비들로부터 많은 사랑을 받았다. 특히 차가운 겨울에 꽃을 피우는 매화의 기질로 인해 선비

---

12 강남국, 『여가사회의 이해』, 형설출판사, 1999, 86~96쪽 참조.
13 심재완, 『역대시조전서』, 세종출판사, 1972, 679번 참조.

들은 그 어떤 꽃보다도 더 많은 사랑을 주었다. 겨울에 눈이 올 때 피는 설중매는 이름 그대로 눈기운이 자욱한 한겨울 속에서 꽃을 피워 내어 더욱 사랑을 받았다. 설중매의 향기는 봄이 오는 전령사의 역할도 했으며, 그 향기가 너무나도 아름다워 신(神)으로부터 얻은 자연의 향기라고도 했다.

초장에서 화자는 매화가 눈이 오면 꽃이 핀다고 기약했지만, 믿지 않았는데 정말로 눈이 오는 겨울에 꽃이 피었다. 화자는 겨울철의 눈속에 피는 설중매가 겨울철 눈이 올 때 정말 필 것이라고 믿지 않았는데, 소문대로 겨울철 눈꽃 속에 핀 설중매를 보고야 말았다. 눈 속에서 피어나는 군자의 절개를 지닌 매화를 마음속으로 기리면서 그 아름다운 자태에 감탄을 보내고 있다.

중장에서 화자는 저녁때가 되어 달이 떠오르니 매화의 그림자가 희미하게 비춰지는 모습을 묘사하고 있다. 희미한 그림자 속에서 매화가 은은한 향을 뿜어내니, 화자의 마음은 안정되고 즐거운 생활이 된다.

종장에서 화자는 매화의 향기가 잔에 차오른 술을 마시고 있으니 자리를 함께 한 사람들과 취하여 놀고자 한다. 매화가 눈과 함께 피어 향기를 내뿜는 날, 아마도 매실로 담근 술인 매실주를 마시든지 아니면 매화꽃을 술잔에 띄워놓고 마시는 술일 것이다. 매화 향기가 술잔에 가득하여 술잔에 매화 향기가 떠서 그림자처럼 어린다고 하면서 술을 취하고자 한다. 여기서 화자는 겨울의 눈 속에 핀 매화의 올곧은 절개의 선비정신을 살려서 술에 취하고 매화 향기에 취하는 즐거운 여가생활을 하고 있다. 하지만 지나치게 많은 술을 마시는 것은 위험한 여가활동이 될 수 있어 조심하여야 한다.

현대생활은 각박하고 정서가 메마르다고 한다. 겨울철 매화향기가 가득한 집안은 건강과 정서함양에 매우 좋아 즐거운 생활을 하게 한다. 겨울철 가정에서 매화를 기르며 그 맑은 향기로 가정을 편안하게 하면 가족들의 마음이 안정되고 정신도 맑아질 것이다.

모든 사람은 다양한 잠재력을 가지고 태어난다. 여가를 향유하는 능력은 장인재능(craftsmanship)과 소비재능(consumership)으로 구성된다. 장인재능은 육체를 이용하여 무엇인가를 실질적으로 해낼 수 있는 숙련도를 의미한다. 예를 들면 스포츠, 악기연주 DIY(Do It Yourself) 등과 같은 여가활동을 할 때 자기가 직접할 수 있는 숙련의 정도를 의미한다. 소비재능은 소비자로서 어떤 대상을 느끼고 감식하고 식별할 수 있는 안목을 의미한다. 예를 들면 문학작품이나 음악, 미술 등의 예술작품을 읽고, 듣고, 보면서 즐길 수 있는 소비능력을 의미한다.

요즈음에는 창조형 여가활동이 새롭게 부상하고 있다. 벌써 전문직업인들과 별개로 시, 소설, 수필, 회화, 음악, 소공예, 붓글씨 등의 창작물을 발표하는 일반인들의 수가 상당한 정도에 이른다. 많은 사람들이 문화의 소비자인 동시에 창조자라는 이중성을 갖게 되는 것이다. 앨빈 토플러(A. Toffler)의 말을 빌리자면 문화의 프로슈머(Prosumer)가 증가하는 것이다.[14] 앞으로의 여가생활에서는 다른 사람들과 함께 집단적인 욕구를 충족하고 자아실현을 하는 여가활동의 유형이 더욱 관심을 모으게 될 것이다.

다음은 겨울철에 다른 사람들과 함께 하는 삶을 살아가며 우리

---

14 김문겸 외 2인, 『여가의 시대』, 호밀밭, 2021, 116-117쪽 참조.

민족의 세시풍속을 노래하고 있는 또 다른 시조를 살펴보기로 한다. 세시풍속에서도 원칙이 흔들리는 전통은 뿌리를 내리지 못한다. 이러한 원칙이 몇 대에 걸쳐서 전승되면 하나의 풍속이 되는 것이라고 한다. 여기서는 정월대보름에 답교놀이를 노래하고 있는 시조를 통해서 세시풍속을 중요하게 생각하는 우리 선조들의 여가생활을 살펴보기로 한다.

　　망월(望月)이 밝엇스니 스름마다 답교(踏橋)로다
　　답교(踏橋)도 ᄒ련이와 달 보아서 풍흉(豊凶) 알쇼
　　아마도 농쟈(農者)는 텬ᄒ지디본(天下之大本)인가[15]

이세보(1832~1895)

우리의 서민과 사대부들이 함께 참가한 여가활동은 민족의 전통놀이인 세시풍속에서 쉽게 찾을 수 있다. 인생에서 이웃과 더불어 사는 삶이 특별히 따로 있는 것은 아니라고 할 수 있다. 우리 선조들은 세시풍속을 통해서 남녀노소와 사대부와 서민이 함께 어울려 일상의 단조로움을 깨고 생활에 활력을 불어 넣으며 더불어 사는 모습을 구현하며 실천하기도 했다.

초장에서 화자는 보름달이 밝은 상황과 달구경을 하면서 다리를 밟는 민속놀이인 답교놀이를 설명하고 있다. 정월 대보름에 행하는 달맞이 행사와 다리 밟기 행사는 지방마다 다양하게 전해오고 있다. 먼저 높은 산이나 들에 올라가 보름달을 보고 그 해 소원을 비는 행사를 한다. 그런 다음에 보름달 아래에서 자기 지역의 다리(橋)를 자기의 연령만큼 오가면 자신의 다리(脚)가 튼튼해진다고 다리를 건너 다녔다.

중장에서 화자는 답교놀이를 하다가 달을 쳐다보고 그 해의 풍년과 흉년을 점친다. 이를 시골에서는 '좀생이 보기'라고 했다. 정월 보름달을 보고 달빛과 그 주위의 형세를 보아서 그 해 농사의 풍년과 흉년을 점치는 일이 있다. 겨울 하늘에 맑은 빛깔로 온 사방을 환하게 달빛이 비취면 그 해는 풍년이 든다고 하였고, 반대로 달무리가 지면 흉년이 든다고 생각했다. 정월 대보름은 일 년의 농사를 준비하는 시작의 단계라고 할 수 있다. 이때에 농사의 풍년과 흉년을 짐작하는 일은 매우 중요하다고 할 수 있다.

그래서 화자는 종장에서 농사짓는 일이 천하의 큰 근본이라고 하며 농업을 강조하고 있다. 이처럼 화자는 민속을 통하여 우리의 전통을 고수하면서 더불어 살아가는 참다운 여가생활을 즐기려는 정신을 표출하고 있다.

우리 민족은 답교놀이라는 세시풍속을 통해서 백성들이 모두 함께 모여서 다리를 밟으면서 새로운 문화를 탄생시키는 소비자이면서 생산자인 프로슈머의 역할을 담당하고 있다. 이처럼 현대사회에서도 문화와 교양 그리고 창조형 레저와 같이 사람들의 문화적 욕구를 충족시키고 자기계발을 추구하는 여가가 더욱 관심을 받고 있다. 최근에는 우리의 전통놀이에 대한 관심이 부쩍 늘고 있다. 간단하고 손쉬운 도구로 좁은 공간에서도 마음대로 놀 수 있는 윷놀이, 제기차기 등의 놀이가 유행하고 있다.

위의 시조는 보름달을 구경하면서 자신의 희망을 기원하고, 답교놀이를 하면서 자신의 건강을 비는 육체적인 만족 그리고 농사의 풍년을 기약하는 물질적인 만족을 함께 나타내고 있다. 우리 민족은 정월대보름에 행하는 답교놀이를 통해서 우리 민족은 전통문화의 새로운 창조자로서의 역할과 소비자로서의 역할을 동시에 수행하고 있다. 오늘날의 바쁜 현대인들도 마음에 안정과 여유를 주는 정월대보름에 행해지는 다양한 민속놀이에 참가하여 새로운 삶의 가치를 확인하는 자리를 만들었으면 한다.

5. 취미생활과 삶의 재충전

여가활동은 넓은 의미에서 소비자의 행동이라 할 수 있다. 소비(消費)라는 말에는 "에너지를 불태우거나 빠지게 하다."라는 의미를 지니고 있다. 자본주의 사회에서 대표적인 물질적 에너지는 자본과 금전이고, 정신적인 에너지는 집중과 몰입으로 발생하는 스트레스이다.

우리가 살아가는 현대사회에서 스트레스를 해소하고 건강하게 살아가기 위해서 느리게 살아가는 여가문화가 필요하다고 한다. 2004년 우리나라에서도 고속철도의 등장으로 우리 사회는 속도에 대한 경쟁이 더욱 가속화되고 있다. 시속 300km의 속도로 서울에서 대구까지를 한 시간 남짓에 달리는 고속철이 상용화되어 있다. '지상의 비행기'라는 고속철로 인해 우리는 더욱 속도를 즐기게 되었다.

여가의 영역도 노동과 마찬가지로 똑같은 결핍과 모순을 가져온다는 사실을 기억해야 한다. 왜냐하면 사회적으로 규정된 놀이와 오락의 영역에서도 공정한 경쟁을 갖추기 위해서 도덕과 강제윤리가 존재하기 때문이다.

지금까지 우리는 차가운 북풍과 하얀 눈의 계절, 겨울철을 맞이하여 우리 선조들이 자연의 생명력을 중시하고 건강한 삶을 살아가기 위해 노력하는 모습을 살펴보았다. 여기에 살펴본 몇 편의 사대부시조들은 우리 선조들이 삶의 지혜와 깊이를 느끼기 위해서 제대로 놀면서 건전한 여가활동을 보내는 모습을 보여주고 있다.

여가에서 경쟁적으로 자기를 과시하고, 계층적으로 차별을 보증받으라는 광고와 마케팅은 끊임없이 우리를 유혹하며 다가오고 있다. 이러한 광고에서 현대인들이 자유롭기가 쉽지 않다. 여가에서도 속도를 강조하면 노동에 버금가는 스트레스를 받을 것이다.

일반적으로 일상생활에서 속도를 강조하면 강조할수록 저항이 더욱 강해지는 것이 물리학의 법칙이라 할 수 있다. 젊은이들은 속도의 여가활동을 무기로 한다. 속도의 여가활동을 무기로 하면 반드시 저항이 생기기 마련이다. 이에 비해 노인들은 느림의 문화를 생명으로 하고 있다.

2005년부터 주 5일제 근무가 시행되는 우리 사회에서 속도 위주의 경쟁이 너무 치열하여 이제는 느림의 문화를 논의하고 있다. 그 이유 중의 하나는 빠르게 경쟁하다 보니 그 반작용으로 나타나는 것이 느림의 문화라고 할 수 있으며, 다른 하나는 인간이 자연스럽게 본질적으로 가지고 있는 속도를 이미 초월했기에 이제는 자연의 본질로 돌아가자는 것이다.[16] 노후생활은 생활 그 자체가 여가생활

---

16 윤은기, 「웰빙시대의 時테크」, 『웰빙과 여가문화』, 여가문화학회, 2004.6.10.

이라고 할 수 있으며 느림의 문화를 실천할 수 있는 기회라 할 수 있다. 노후생활을 여유롭게 그리고 느리게 살아가면서 여가활동을 어떻게 하느냐에 따라서 그 사람 자신의 건강은 물론 삶의 완성도도 달라진다고 할 수 있다.

오늘날 성장과 속도를 강요하는 과학기술의 시대에는 우리가 향유하는 여가활동에서부터 느림을 강조하면서 여유로운 생활을 즐길 필요가 있다. 눈이 핑 돌 정도로 무시무시하게 빨리 달려 나가는 현대의 과학문명 앞에서 우리는 지나쳐 버리지 말아야 할 인간의 소중함인 편안함과 안정됨을 깨달아야 한다. 빠르게 가속화된 삶이 좋고 편리할지는 모르지만 과도한 스트레스를 받는다면, 진정한 의미에서 인간답게 그리고 생명을 소중하게 여기면서 살아가는 여유를 가질 수가 없을 것이다.

인공지능과 메타버스, 그리고 개인의 미디어 문화인 유튜브가 성행하는 21세기 우리 사회는 노동중심의 사회에서 벗어나 여가중심의 사회로 이동하고 있다. 여가시간이 많아지고 여가활동이 다양해짐에 따라 현대인들은 계절별로 더욱 다양한 여가문화를 찾을 것이다. 이러한 시기에 여가생활을 즐기는 사람들은 우리의 옛시조나 전통문화 속에 담겨있는 놀이문화에 관심을 기울여서 전통의 재창조를 통한 진정한 여가문화를 올바르게 누렸으면 한다. 지금 "실천하지 않으면 아무것도 이루어지는 것이 없다."라는 말이 있다. 지금 당장 우리 모두는 마음의 여유를 가지고 우리의 전통문화 속에 담겨있는 참된 여가생활을 찾아내어, 전통문화를 즐기면서 느리고 여유롭게 살아가는 참된 여가활동을 실천하도록 노력하여야 한다.

전통사회가 인류를 위한 식량기근에 시달렸다면, 현대사회는 시

간기근(time-famine)에 허덕이고 있다. 현대사회는 소유하고 소비하
는 하나하나의 사물에서와 같이 짧은 자유시간에서도 각 개인은 자
신이 욕망을 만족시키려 하거나 아니면 만족시켰다고 판단하여 긴
장하고 있다. 현대인들은 이러한 시간의 강박증에서 탈출하기 위해
서 다양한 여가활동을 하면서 이를 극복하고자 한다. 속도를 내세
우는 가속적인 사회적 환경의 변화에서 오는 자극이 사람들의 의식
과 욕구를 끊임없이 자극하고 재구성하여 느림의 미학이라는 반작
용을 찾아내고 추구하게 되었다.

　느림에 대한 미학의 실천이 바로 그것이다. 느림의 미학은 슬로
우푸드(slowfood), 슬로우라이프(slowlife), 슬로우시티(slowcity)의 출
현이 대표적인 것이다. 일상의 속도를 늦춤으로써 인간의 여가활동
을 정상적으로 돌릴 수가 있다. 현대사회에서 "인간의 불행은 단 한
가지, 고요한 방안에 들어 앉아서 휴식할 줄 모르는 데서 비롯한
다."는 격언의 의미를 되새겨 볼 수 있다. 느림을 실천하는 여가활
동으로 걷기, 듣기, 꿈꾸기, 글쓰기, 기다리기, 마음에 고향을 떠올
리기, 포도주 한 잔에 빠지기 등의 방안을 제시하고 있다.

　느림의 미학은 웰빙(well-being)이나 힐링(healing)과 밀접한 관련
이 있다. 웰빙이 물리적이고 육체의 건강에 치우쳤다면 힐링은 정
신적인 것과 관련이 많다. 2010년도 이후에 한국사회에서도 각종
명상의 프로그램이 많이 등장했다. 미래사회에는 노동보다는 여유
로운 생활인 여가활동에서 자아정체성을 확인하려는 사람들이 증
가할 것이다.

3장

사설시조,
사랑의 사회학과 대중예술

자본을 매개로 한
사설시조의 애정갈등

1. 인간의 삶과 자본

오늘날의 대중예술은 사랑과 자본의 전쟁이다. 사랑과 자본은 인간의 삶에서 중요한 역할을 한다. 자본과 사랑의 중요성은 봉건시대인 조선시대나 21세기 과학기술의 시대인 현재에도 마찬가지라 할 수 있다.

시조는 하나의 문학 장르 속에서 다양한 작가층을 아우르고 있으며 조선시대의 다양한 한국인의 감정과 생각을 표현하고 있다. 시조와 사설시조의 작가는 왕, 학자, 가객(歌客), 관료, 규수, 명기(名妓) 등 수많은 무명씨 등에 이르기까지 거의 모든 계층, 신분, 직업의 사람들이 시조를 즐겼음을 알 수 있다. 다양한 작가층에서 사랑에 관한 다양한 내용과 주제를 표현하였음은 당연한 귀결이다.[1] 이러한 사설시조에서는 조선시대 한국인의 정서와 감정을 사랑의 사회학으로 표현한 대중예술의 성격을 함께 지니고 있다.

---

1 김열규, 『왜사냐면, 웃지요』, 궁리, 2003, 208쪽 참조.

여기서는 사설시조에 나타난 사랑의 사회학을 경제활동의 관점에서 삶과 자본이 가족갈등이나 애정갈등을 일으키는 원인이 되는 담론을 찾아서 그 의미를 살펴보고자 한다. 사랑은 수동적인 감정이 아니라 능동적인 활동이다. 사랑은 '참여하는 것'이지 '빠지는 것'은 아니다. 사랑은 '주는 것'이지 '받는 것'은 아니라고 말함으로써 사랑의 능동적인 성격을 설명할 수 있다. 시장형 성격을 가진 사람이 주려고 하는 행위는 단지 받는 것과 교환으로서 사랑과 자본을 줄 뿐이다. 그에게서 받는 것 없이 주기만 하는 것은 속임을 당하거나 사기를 당하는 것이다.

자본의 거래를 위주로 하는 물질적인 영역에서 준다는 것은 부자임을 의미한다. 많이 '갖고' 있는 자가 부자가 아니라 많이 '주는'자가 부자이다. 하나라도 잃어버릴까 안달을 하는 자는 심리학적으로 아무리 많이 갖고 있더라도 가난한 사람, 가난해진 사람이다. 자기 자신이 가진 것을 다른 사람에게 줄 수 있는 사람은 누구든지 부자이다. 사랑을 주는 부자는 주는 것으로써 다른 사람의 삶과 생명에 무엇인가를 야기시키는 사랑을 일으키지 않을 수 없고, 이와 같이 다른 사람의 삶과 생명에 일어난 사랑은 주는 자에게로 되돌아온다. 준다는 것은 상대가 되는 사람을 주는 자로 만들고 상호 간의 삶과 생명에 사랑을 탄생시키는 기쁨에 참여하는 것을 의미한다.[2]

인간의 삶을 반영하고 있는 문학에서는 애정과 관련된 재화(財貨)나 금전(金錢)이 등장하여 그 당대 사람들의 애정과 경제의 상관성을 보여주는 경우가 종종 있다. 사설시조에서 자본을 매개하고 있

---

2 에리히 프롬(황문수 역), 『사랑의 기술』, 1997, 29-33쪽 참조.

다는 의미는 사설시조의 담론에서 금전이나 자본이 주제가 되거나 소재가 되어 작품의 주요한 내용을 차지하고 있는 포괄적인 개념을 의미한다.

21세기의 대중예술과 그 문화는 매우 요란하고 복잡하다. 이제 문화와 예술도 상품처럼 사회와의 소통을 통하여 그 본래의 의미가 구현된다. 오늘날에도 대중예술과 그 문화를 물신(物神)처럼 움직이는 것은 문화산업에서 상품을 만드는 산업자본 때문이라고 할 수 있다. 이제 대중예술이라는 용어는 더 이상 우리에게 생소한 용어가 아니다. 대중예술을 그냥 저급한 내용을 담고 있는 상업성과 영합한 통속예술이라고 부르면서 연구에서 제외하는 태도는 지양되어야 한다. 현대사회에서 대중문화와 대중예술을 접하지 않고 세상을 살아가는 사람은 아무도 없다. 대중예술과 그 문화는 앞으로 더욱 세속적이고 현실적인 새로움을 추구하면서 상업성과 영합하여 새롭게 우리 앞에 등장하고 있다.

대중예술이란 '모든 사람들이 쉽게 접근할 수 있는 문화의 산물'이라고 할 수 있다.[3] 이러한 대중예술과 대중문화는 순간적인 향유 뒤에 인간을 현실세계의 억압된 협곡으로 되돌아가게 하는 통속성과 대중성을 지니고 있다. 대중문화는 거의 모든 사람에게 소비되는 문화로 근대 산업사회 이후에 성행한 문화의 산물이라고 볼 수 있다. 전통예술과 그 문화가 창의성과 논리성을 그 미학으로 한다면, 민중예술과 그 문화는 저항성과 민족성을 그 미학으로 하고, 대중예술과 그 문화는 통속성과 대중성을 미학[4]으로 한다고 할 수 있다.

---

3 박성봉 편역, 『대중예술과 이론들』, 동연, 1994, 11쪽 참조.
4 류해춘, 「사설시조에 나타난 대중예술의 미학」, 『어문학』 59, 1996, 107-127쪽 참조.

초기 자본주의 사회에서는 '보이지 않는 손'이라는 용어로 사회경제적 관계망을 파악하였다면, 마르크스주의에서는 '상품'을 통해 이러한 관계망을 해석하였다.[5] 20세기 후반부터는 사회분석이 정치경제의 접근에서 사회문화의 접근으로 이전하고 있다. 여기서는 문화와 사회를 매개하는 관계라는 맥락에서 전통사회의 흥행예술인 사설시조에 나타난 사랑의 사회학을 통해서 18세기 이후에 나타난 대중예술의 흔적과 그 소통의 현상을 찾아보고자 한다.

사설시조에는 특정한 매체로 청자나 독자들과 소통을 한 후에 현실세계의 억압된 협곡으로 되돌아가게 하는 통속성과 대중성을 지닌 내용의 작품들을 많이 접할 수 있다. 이러한 작품들에는 문학의 연구자들에게는 보편적으로 인정을 받지 못하지만, 대중들에게는 익숙한 내용들이 많이 있다. 사설시조라는 작품이 개인과 타자를 연결하는 사회적인 매개관계가 형성될 때에야 비로소 미적 감흥인 대중성과 통속성이 발생하고 공유될 수 있다.

여기서는 사설시조의 작품에서 여성화자인 주부가 자본과 금전을 매개로 남성들과 애정담론을 전개하면서 애정갈등을 일으키는 상황과 그 내용을 먼저 살펴보기로 한다. 18세기 이후의 사설시조에 나타난 금전을 매개로 하고 있는 주부의 성담론에서 작가가 여성이면서 주부인 경우는 자주 등장하는 화자가 아니라고 할 수 있으며, 사설시조의 성담론을 이끌어가는 주체인 발화자가 여성인 주부로 설정된 경우가 대부분이라고 할 수 있다. 이러한 과정을 거쳐 조선후기의 사설시조에는 가정의 주부가 성담론의 주체가 되어 자

---

5 박상환 외, 『대중예술과 문화콘텐츠』, 도서출판 상, 21쪽 참조.

신의 애정 생활을 사실적으로 보여주는 작품이 종종 있다.

주부란 한 가정을 이루며 살아가고 있는 가장의 아내로서 여성을 의미하는 말이라고 할 수 있다. 사설시조에 나타난 여성화자[6]는 크게 기녀(妓女), 각씨(閣氏), 주부(主婦) 등으로 나누어질 수 있다. 지금까지는 사설시조의 성담론을 기녀나 각씨에 한정된 논의가 주류[7]를 이루고 있는데, 여기서는 그 시각을 달리하여 사설시조의 화자가 주부인 작품을 찾아내어서 작품에 전개된 성담론의 양상을 분석하고자 한다.[8] 사설시조에 나타난 주부들의 성담론을 찾아가는 작업은 작품 속에서 화자가 성담론에 적극적인 여성, 즉 성담론에 대한 기존의 관념을 뒤집어엎는 여성화자의 주장이나 내용을 통해서 가능하다고 할 수 있다.

사설시조는 18세기 조선후기로 넘어 오면서 작품의 수가 증가하고 그 제재가 다양해지면서 사회적인 문제의식[9]이 확장되는 추세를 보여 준다. 이들 작품 중에는 금전이나 재화로 애정을 사고팔려는 의식이 나타나고 있는데, 이러한 경향의 사설시조는 오늘날의 사회

---

6 류해춘, 「사설시조에 나타난 시적 화자의 유형과 그 특성」, 『어문학』 52집, 1990, 참조.

7 김석회, 「사설시조 '각시늬 내 첩(妾)이 되나'의 의미와 의미변용」, 『조선후기 시가 연구』, 월인, 2003. ; 김종환, 『사설시조의 서술구조와 현실인식의 표출양상 연구』, 경북대대학원(박사), 1994. ; 박애경, 『조선후기 시조의 통속화 과정과 양상 연구』, 연세대대학원(박사), 1997. ; 이영태, 「'각씨늬[네]~' 시조의 검토와 「각시늬 내 妾이 되나」의 해석」, 『시조학논총』 22집, 2005.

8 류해춘, 「21세기 속의 화두, 사설시조에 나타난 주부의 성담론(1)」, 『시조세계』 19집, 2005 참조. ; _____, 「21세기 속의 화두, 사설시조에 나타난 주부의 성담론(2)」, 『시조세계』 20집, 2005 참조.

9 고정옥, 『고장시조선주』, 정음사, 1949. ; 김학성, 「사설시조의 작가층」, 『한국고시가의 거시적 탐구』, 집문당, 1997. ; 김흥규, 『사설시조』, 고려대민족문화연구소, 1993. ; 신은경, 『사설시조의 시학 연구』, 서강대대학원(박사), 1988. ; 조규익, 『만횡청류』, 박이정, 1999.

에서도 많은 시사점을 줄 수 있는 내용이라 할 수 있다. 특히 여성화자인 주부들이 가정생활을 하면서 금전이나 재화를 매개로 하여 개방적이고 자유로운 성담론을 펼쳐낸다는 점에서 그 의미가 크다고 할 수 있다. 이러한 시각은 부부간의 갈등이 상존하는 21세기의 현대사회에서도 화두가 될 수 있다고 생각한다.

조선시대 사설시조에 나타난 금전과 관련된 주부의 성담론은 금전의 굴레를 벗어나지 못한 성담론과 금전의 굴레를 과감히 벗어난 성담론으로 나누어질 수 있었다. 금전을 매개로 하는 사설시조는 지금까지의 작품과는 달리 역동적이고 기지가 넘치는 삶을 살아가는 여성화자를 등장시키고 있다는 점에서 주목할 만하다. 사설시조에 나타난 여성화자가 주부로서 성담론을 이끌어가는 모습은 18세기 이후 우리 사회에 집중적으로 등장한 열녀의 이미지와는 상반된 모습을 보여주고 있다. 이러한 사설시조에서는 발랄하고 생기가 넘치며 어떠한 어려움도 웃음으로 극복하려는 여성화자인 주부의 모습을 통해서 성적인 자유를 마음껏 표현하고 있다. 사설시조에 나타난 주부의 성욕은 다만 어머니라는 이름으로 철저하게 위장된 생식을 위한 성욕이 아니라, 쾌락을 위한 성욕의 표현이 등장하고 그를 웃음으로 표출하는 기법을 보여주고 있어 재미있고 독창적이라 우리의 전통문화에서 선구적이라 할 수 있다.

2. 자본을 매개로 한 애정의 갈등

오늘날 성행하는 대중문화의 이야기에는 애정과 자본이 넘쳐나고 있다. 21세기 대중문화를 읽으면서 사랑과 자본의 전쟁이라고 평가하는 견해도 있다.

대중매체는 원래 전쟁, 선거, 스포츠 등과 같은 대중적인 현상들을 보도하는데 전념했지만, 오늘날에는 작은 마을에서 벌어지는 사소한 사건을 국가적인 혹은 세계적인 사건으로까지 확산시키는 등 갈수록 사생활을 공론화하는 경향이 커지고 있다. 고대사회로부터 현재까지 인류의 역사는 권력과 사랑의 변주곡과 스캔들이라고도 할 수 있다. 혹자는 "위대한 사람의 사생활은 공공의 재산이다."라고 할 수 있지만, 우리는 지도자가 이룬 업적은 제대로 보지 못하고 지도자들의 약점에만 집착하고 있는 경향도 있다.[10]

오늘날의 대중문화의 주류를 이루고 있는 드라마와 대중가요 그리고 영상매체 등은 자주 남녀간의 애정인 사랑타령을 주제로 하고 있다. 영화도 만화도 사랑과 금전의 이야기가 주된 내용을 이루고 있다. 상품광고 역시 상품을 팔기 위해 사랑을 입혀서 판매하고 있다. 성에 관한 담론도 넘쳐 난다. 선정적인 사생활의 폭로에서 성의식의 조사라는 점잖은 탈을 쓴 실태조사에 이르기까지 대중매체는 성(性)에 관한 말로 홍수를 이룬다.

조선후기 사설시조에는 남편과 아내가 경제적인 문제로 결혼을 하고 인간적인 갈등을 표현하고 있는 노래가 자주 등장하고 있다. 이런 작품에서 화자는 부부가 가정을 꾸려가며 경제적인 문제로 인하여 일어난 갈등을 애정담론으로 연결시키면서 잘못된 결혼이라며 자신의 가정생활을 희화적으로 표출하고 있다. 다음의 노래에서

---

10 루스 웨스트하이머·스티븐 캐플린(김대웅 역), 『스캔들의 역사』, 2004, 이마고,
   8쪽 참조.

는 물질을 매개로 하여 맺어진 부부의 관계가 서로의 신뢰가 깨어
지자 남편과 아내가 각각 맞바람을 피우는 모습을 대화체로 보여주
고 있어 관심을 끌고 있다.

　사설시조에 등장한 여성화자의 이러한 모습은 현대 여성들처럼
발랄하고 개방된 성담론을 조선후기의 사설시조에서도 표현하고
있다는 점에서 매우 시사적이라 할 수 있다.

> 이 년아 말 듯거라 굽고 나마 쟈질 년아
> 쳐음에 날을 볼 지 백년을 사쟈키에
> 네 말을 곳지 듯고
> 집 폴고 텃밧 폴고 가마 폴고 동솟 폴고
> 자적마 씐밤이에 먹기 쇼를 마즈 프라
> 너를 아니 주엇더냐
> 무스 일 뉘 낫바셔 노뒤를 노랏는다
> 져 님아 님도 나를 쇼겻거든 뉜들 아니 쇼길숀아

> 〈현대역〉
> 이 년아 말 듣거라 굽고 남아 죄지을 년아
> 처음에 나를 볼 때 백년을 살자기에
> 네 말을 곧이 듣고
> 집 팔고 텃밭 팔고 가마 솥 팔고 작은 솥 팔고
> 자주 빛 말 좋은 논에 검은 소를 마저 파라
> 너를 아니 주었더냐
> 무슨 일 뉘 나빠서 서방질로 놀았느냐

저 임아 님도 나를 속였거든 낸들 아니 속일소냐

악학습영(樂學拾零)[11]

18세기 이전의 전통사회에서 낭만적 사랑은 편안함과 안온함에 특권을 부여하는 특성을 지니고 있어서 성적 매력을 시각적으로 보여주며 충동적인 사랑을 표현하는 것을 신중하게 통제하여 왔다. 하지만 사설시조에서는 현대인들처럼 파트너를 선택하고 물색하는 소비주의적 심성에 의해 로맨스의 관행이 널리 퍼지게 된 경향을 표현하고 있어 주목을 받고 있다. 즉 사설시조에서는 '사랑을 자유롭게 선택한다.'는 사랑의 소비주의[12]라 부를 수 있는 현대인들과 비슷한 애정선택의 동기를 보여주고 있다. 이러한 측면에서 사설시조에 나타난 성담론은 근대사회의 특성인 낭만적인 애정구조를 급격하게 변화시키는 특성을 지니고 있다고 할 수 있다.

결혼을 할 때에 대부분의 사람들은 부푼 기대와 꿈을 가지고 결혼한다. 누구나 행복해지리라는 기대뿐만 아니라 행복한 삶에 대한 확신을 가지고 결혼을 한다. 하지만 부부관계는 시간이 지나 감에 따라 그 갈등의 요소는 다양하게 나타날 수 있다.

이 작품의 초장에서는 화자인 남성이 여성에 대한 욕설과 그 저주로 시작하여 부부간의 갈등이 심각함을 예고하고 있다. 아마도 아내가 남편에게 큰 잘못을 저지른 것 같다. 부부관계에서 신뢰는 중요하다고 할 수 있다. 이처럼 사설시조에서 남성화자가 등장하여

---

11 김흥규, 『사설시조』, 고려대민족문화연구소, 1993, 164번 참조.

12 에바일루즈(박형신·권오헌 역), 『낭만적 유토피아 소비하기』, 2014, 이학사, 298–299쪽 참조.

주부들의 불합리와 무분별한 성욕에 대하여 고발하고 있는 경우는
드물다고 할 수 있다. 남성화자가 등장하여 여성을 비꼬고 욕설을
퍼붓는 것은 독자들을 긴장시키고 당황하게 한다. 우리는 이 작품
에 등장하는 여성화자를 가정의 질서를 파괴하는 인물로 문제가 있
는 주부로 생각할 수 있다. 문제의 인물로 부각된 여성화자의 비행
은 중장에서 남성화자가 설명하는 내용으로 더욱 구체적으로 드러
나게 된다.

중장에서 남성화자는 행복한 결혼생활을 위해서 여성화자에게
자기가 최선을 다했음을 말하고 있다. 여성화자인 아내는 처음 만
나서 남편과 백년을 해로하며 살자고 하였다. 이에 남성화자는 아
내의 신뢰를 얻었다고 판단하여 집과 밭을 팔아서 그 재물을 아내
에게 주고 가마솥과 작은 솥을 팔아서 아내에게 주었다. 그리고 말
(馬)과 소 그리고 좋은 논도 팔아서 아내에게 주었다고 하고 있다.
이처럼 남편은 아내를 위해서 자기의 전 재산을 팔아 주면서까지
정성을 다하고 있다. 따라서 남성화자는 아내가 무슨 일로 뭐가 나
빠서 다른 짓을 하는가 하면서 원망하고 있다. 이러한 남성화자의
말을 그대로 수용할 여성화자는 아니었다. 남성화자의 아내에 대한
원망은 종장에 등장하는 여성화자가 하는 반격의 말로 인해 문제의
심각성은 많이 약화되고 있다.

종장에 등장한 여성화자는 자신의 주장이 뚜렷한 인물이다. 중장
에서 남성화자가 주장하는 대로 자신의 잘못을 인정하는 그런 유형
의 인물은 아니라고 할 수 있다. 종장에서 여성화자는 님이 나를
속였으니 자신도 님을 속일 수밖에 없었다고 한다. 여기에 여성화
자는 남자와 여자의 성문제를 동일시하면서 '님이 나를 속인 것이나

내가 님을 속인 것'은 서로 피장파장이라는 말로 응수하고 있다. 여성화자의 이러한 담론에서 남성화자가 제기한 심각성은 풀어지고, 희극성이 배가 되어, 우리들은 마음껏 웃을 수 있는 것이다.

일반적으로 가정의 유지는 성(性)과 금전(金錢)에 의해서 강하게 통제된다고 할 수 있다. 가정생활에서 애정과 재산은 가장 기초적인 것이라 할 수 있다. 한 남자와 한 여자가 사랑을 바탕으로 하여 맺어지는 애정은 상대에 대한 독점적 소유를 통해서만 충족될 수 있다. 이 작품에서는 물질을 대리만족으로 하여 얻어진 애정에 대한 독점적 소유가 깨어지는 상황과 가정에서 남편과 아내의 애정에 대한 신뢰가 깨어지는 모습을 적나라하게 보여주고 있다. 이러한 현상은 현대를 살아가는 우리들의 주변에서 일어나는 가정불화의 모습과 비슷한 상황을 연상시킨다고 할 수 있다.

보상이 없는 진정한 사랑은 존재하지 않는다고 할 수 있다. 그 이유는 우리가 사랑은 받는 것이 아니라고 말을 할 때에도 사랑하게 되면서 오는 다양한 보상과 심리적 안정이 존재하기 때문이다. 우리는 사랑을 통해서 고귀한 견해와 더 높은 이상, 봉사의 기쁨, 폭넓은 공감, 더 아름다운 이해, 더 풍요롭고 완전한 삶을 얻을 수 있다. 이제 낭만적 사랑은 불가피하게 새로운 세속화의 물결에 휩쓸리게 되었다.[13]

위의 작품에서는 아내가 남편의 재산을 가로채고도 사랑에 목말라 하는 주부의 모습을 보여주고 있으나, 다음의 작품에서는 여성화자가 남성화자의 달콤한 물질적 유혹에 속아 매일 밤 자신의 성을 바쳤

---

13 에바일루즈(박형신·권오헌 역), 『낭만적 유토피아 소비하기』, 2014, 이학사, 62-63쪽 참조.

지만 끝내 재산을 받지 못하는 모습을 보여주고 있어, 두 작품이
서로 비교가 된다. 아래의 작품에 등장한 여성화자는 삼년이 넘게
도련님과 애정을 불태우고 있어 정식적인 결혼관계는 아니라 사실혼
의 관계이거나 첩이라고 해야 무방하다고 할 수 있다. 이처럼 사설시
조에 등장하는 여성화자로서의 주부는 정상적인 현모양처(賢母良妻)
이라기보다는 사실혼의 상태인 주부들이 자주 등장하고 있다.

都련任 날 보려훌졔 百番남아 달닉기를
高臺廣室 奴婢田畓 世間汁物을 쥬마
판쳐 盟誓ㅣ 후며
大丈夫ㅣ 혈마 헷말후랴 이리저리 조츳써니
至今에 三年이 다 盡토록 百無一實후고
밤마다 불너닉야 단잠만 씩이오니
自今爲始후야 가기난 커이와
눈 거러 달 희고 닙울 빗죽 후리라

〈현대역〉
도련님 날 보려할 제 백번 넘게 달래기를
고대 광실 노비 전답 세간 살이를 주마
단단히 맹세하며
대장부 설마 헛말 하랴 이리 저리 좇았더니
지금껏 삼년이 다 가도록 하나도 해 주지 않고
밤마다 불러내어 단잠만 깨이오니
지금부터는 가기는커녕

눈 샐쭉하게 뜨고 입을 삐쭉 하리라

육당본 청구영언(六堂本 靑丘永言)¹⁴

애정과 성은 한 남성과 한 여성 사이에서 일어나는 은밀한 일 같지만, 우리 사회의 남성과 여성의 관계를 거울처럼 반영한다고 할 수 있다. 우리가 진정으로 애정과 성을 가장 인간적인 만남의 장으로 돌려보내고 싶다면 우리가 원하는 애정과 성의 실체를 파악하는 일부터 시작해야 한다. 위의 작품에 등장하는 여성화자는 도련님이 애정에 대해 금전으로 보상을 해주겠다는 말을 믿고 애정에 눈이 멀어 도련님과 은밀한 사랑을 즐겼다. 이런 비밀스러운 사랑은 금전적 보답과 연인 사이의 열정이 결합되어 나타난다고 할 수 있다. 그런데 끝내 금전적인 보답이 없고 실제로 이익이 없는 사랑이 되었다고 판단되었을 때는 서로 간에 애정갈등이 발생한다고 할 수 있다.

초장의 여성화자는 은밀한 관계로 도련님과 사랑을 맺어온 연인 사이라 할 수 있다. 여성화자는 임이 나를 만나자고 할 때 백번 넘게 달래었음을 말하고 있다. 이로써 이 여성화자는 첩의 신분에 처해 있으면서, 도련님의 성적인 상대자가 되었던 것으로 추측된다.

중장에서 여성화자는 상대방이 자신에게 한 약속과 자신의 행동을 서술하고 있다. 그 내용은 상대방이 크고 좋은 집, 노비와 전답에다가 세간살이를 장만해 주겠다고 약속한 내용을 고백하고 있다. 그래서 여성화자는 대장부의 약속을 천금같이 여겨서 자신의 정성

---

14 심재완, 『역대시조전서』, 세종문화사, 1972, 853번 참조.

을 다하여 삼 년간이나 님을 섬겼다고 한다. 그런데 삼 년이 지나도 아무 것도 해주는 것 없이 밤마다 단잠을 깨우는 일만 있었다고 한다. 이 장의 여성화자는 약자의 입장에서 상대방이 재산을 주기만을 기다리는 연약한 여인의 모습으로 묘사되어 있다.

　종장에서 여성화자는 남성의 허위를 인지하고 난 후 눈을 샐쭉하게 뜨고 입을 삐쭉하는 애교 섞인 투정으로 상대방과의 갈등을 서술하고 있다. 처음 사랑을 할 때에는 누구나 기대치가 있다. 특히 수동적인 여성일수록 타인에게 기대어 경제적인 풍요를 누리면서 행복하게 사는 것이 꿈이라고 할 수 있다. 불륜으로 만나 첩이 되었다 해도 서로의 역할에 맞추어 화목하고 정상적인 가정의 삶을 찾아가는 것이 조선시대에는 당연했는지도 모른다. 하지만 첩이 되는 경우에는 부부간의 갈등이 늘 상습화되어 있는 부부라고 할 수 있다. 이런 경우 끊임없는 갈등과 긴장상태가 생기고 사사건건 의견이 맞지 않아 싸우는 부부라고 할 수 있다. 부부가 싸울 때에 보면 한시도 같이 살 수 없을 것 같지만 그래도 입씨름을 해가며 함께 살아가는 것이다.

　이 작품에서처럼 여성화자는 경제적인 측면에서 도움을 얻으려고 할 것이고 상대방인 남성은 성적 만족을 충족하기 위해 끊임없이 달콤한 감언이설로 여성화자를 붙잡아 두려고 할 것이다. 이런 경우의 결혼생활과 부부의 애정은 서로가 자신의 욕망을 채우기 위해서 살아가는지도 모른다. 이러한 유형의 남녀관계는 만나면 다투곤 하여 서로가 상대방의 가치를 떨어뜨리려고 경쟁이라도 벌이는 상황으로도 다른 사람에게는 비춰질 수도 있다. 그러나 이러한 남녀관계가 잘 청산되지 않은 이유는 금전적인 이유나 성적 욕망보다도 당시 사회에서 인정하는 축첩제도의 영향이 더 크게 작용한 것이라고 할 수 있다.

　이러한 작품을 통해서 우리는 조선 후기 사회에서도 금전이나 물질을 주고받으면서 부부간에 애정과 성담론을 말할 수 있는 토론의 장과 그 분위기가 마련되어 있었음을 알 수 있다. 하지만 사설시조에 나타난 금전과 관련된 성담론은 여성인 주부가 직접 재현한 경우보다는, 가객들이나 사설시조의 담담층들이 사설시조를 부르면서 가상의 상황을 연행의 현장에서 재현한 경우라고 할 수 있다. 이러한 사설시조에 나타난 금전과 관련된 여성화자의 성담론은 유흥의 현장에서 불려졌지만 조선시대 여성들의 억눌린 성적 욕망을 풀어내는데 일정한 역할을 했다고 할 수 있다.

　이러한 사실은 조선시대 현실과 규범에서 제도적으로 은폐되었던 주부들의 성담론이 사설시조라는 기저를 통해서 우리 사회에 공론의 장으로 나타난 것만으로도 21세기 현대사회에 시사하는 점은 크다고 할 수 있다.

3. 금전보다는 진실한 애정의 추구

　부부(夫婦)란 결혼한 남녀로 남편과 아내를 의미한다. 한 가정에서의 부부는 한 남자와 한 여자가 애정과 신뢰를 바탕으로 맺어지는 것이 가장 바람직하다고 할 수 있다. 남자와 여자의 결합이라는 것은 남편과 아내가 일대일의 대등한 관계에서 상대방을 독점해야 한다는 의미이고, 애정을 바탕으로 해야 한다는 것은 순수하고 비타산적인

사랑의 공감대가 서로 형성되어야 한다는 의미이다. 부부 사이의
애정은 경제적 기반이 충족되어야 더욱 원활한 가정을 꾸려갈 수
있다. 그러나 경제적인 풍요보다도 진실한 애정을 추구하는 유형의
성담론이 조선후기 사설시조에도 나타나고 있어 검토해보고자 한다.

  사설시조 중에는 물질이나 금전과 진정한 애정이 대립할 때 금전
보다는 애정의 중요성을 표현하고 있는 작품들이 있다. 이런 작품
들은 가정생활을 영위하면서 물질의 풍요로움이 꼭 필요한 것이기
는 하지만, 그에 못지않게 멋있고 잠자리를 잘하는 젊은 남편이나
말 잘하는 남편이 더욱 필요할 수도 있음을 보여주고 있다.

> 高臺 廣室 나는 마다 錦衣 玉食 더욱 슬타
> 銀金 寶貨 奴婢 田宅 비단치마 大緞쟝옷
> 蜜花珠 겻칼 紫的鄕織 져구리 쏜머리 石雄黃
> 오로 다 쑴즈리 굿다
> 아마도 내의 願ᄒ기는
> 글 줄ᄒ고 말 줄ᄒ고 얼골 기쟈ᄒ고
> 품즈리 잘ᄒᄂ 졀믄 書房인가 ᄒ노라

> 〈현대역〉
> 고대 광실 나는 싫다 비단 옷 좋은 음식 더욱 싫다
> 은금 보화 노비 밭과 집 비단 치마 대단 장옷
> 밀화주 곁칼 자주빛 명주 저고리 딴머리 석웅황
> 모두 다 꿈자리 같으니
> 아마도 나의 평생 원하기는

말 잘하고 글 잘하고 얼굴 깨끗하고
잠자리 잘하는 젊은 서방인가 하노라

병와가곡집(瓶窩歌曲集)[15]

위의 작품은 여성들이 배우자를 선택하는 기준이나 주부들의 성
생활의 한 단면을 보여주는 것으로, 사설시조의 작품을 통해서도
조선후기 여성들의 성담론이 금전보다는 진실한 애정을 추구하였
음을 보여주는 증거라 할 수 있다. 이 작품에서 화자는 물질과 금전
의 풍요로움이 비현실적인 '꿈'으로 묘사되어 있다. 가정생활에서
어느 정도 경제적인 만족이 이루어지면, 주부들은 자신이 처해 있
는 답답한 삶에 대한 반발로 먼저 남편이 가진 능력을 부정하면서
다른 무엇으로 대리만족하려는 경우가 있다.

여기서는 인물 좋고 '젊은 서방'으로 대표되는 사내를 선정하여
여성화자가 추구하는 진실한 애정의 상대자로 생각하고 있다. 여성
화자인 주부는 금전보다는 애정을 중요하게 생각하면서 남편이 돈
으로 자신을 사랑하는 마음을 부정하고 있다. 이러한 가치판단은
물질이나 금전보다는 진실한 애정을 추구하는 여성화자의 소망이
담긴 것이라 할 수 있다. 위의 사설시조는 여성화자가 봉건제도 아
래에서 금전이나 물질보다도 자신의 진실한 애정에 대한 소망을 풀
어놓고 있다는 점에서 주목받을 수 있다.

초장에서 여성화자는 물질문제인 집과 옷 그리고 음식에 대하여
자신의 견해를 밝히고 있다. 좋은 집에서 좋은 음식과 비단으로 된

---

15 심재완, 『역대시조전서』, 세종문화사, 1972, 174번 참조.

옷을 입으면서 사는 것은 인간에게 아주 중요한 의식주가 해결되는 일이다. 그런데 이 작품의 여성화자는 물질적으로 풍요롭게 사는 만족한 생활을 부정하여 주위를 긴장시키고 있다. 아마도 이 작품의 여성화자인 주부는 평소 가장인 남편에게서 얻지 못했던 인간으로서의 솔직한 애정욕구를 가감없이 표출하여 이상적인 남편과의 애정생활을 새롭게 추구하고자 한다. 이러한 표현은 남편에게서 얻지못하는 애정욕구를 젊은 서방을 얻어서 대리만족으로 해결하고자 하는 것이다. 사설시조가 지닌 대중예술로서의 특성으로는 지나친 감상성의 표출이라는 기법이 있다. 감상성의 지나친 표출이라는 것은 화자가 감정의 자연스러운 발현을 통해서 슬픔이나 애환을 가감없이 드러내려는 심리적 동기에서 비롯되는 감정의 노골적인 표현이다.

중장에서 여성화자는 초장에서 서술한 내용인 경제적으로 풍요로운 생활을 구체화하여 부연시키며 병렬하고 있어 초장과 대등한 의미로 연결된다. 부연시키며 병렬하는 내용은 돈과 집 그리고 옷으로 이어진다. 음식을 충분히 구입할 수 있는 금전과 좋은 집을 나열하고 여기에 추가하여 여성의 취향을 잘 드러내는 옷과 머리 등의 좋은 장신구에 대해서도 구체적으로 서술하고 있다. 여기서 화자는 금전보다 선비로서 갖추어야 할 풍모와 진실한 애정표현이 더욱 중요하다는 의미를 강조하기 위해서 좋고 훌륭한 의식주를 모두 동원하고 있다. 이 작품의 여성화자는 일반적으로 금전과 물질이 풍부하고 사회에서 인정하는 배우자보다는 현재의 자신의 위치에서 정신적인 사랑을 찾아서 진실한 애정을 찾아나서는 자유로운 성담론을 보여주고 있어 주목받을 수 있다.

종장에서 여성화자는 자신의 소망을 직접적으로 말하고 있다. 화자는 '자신의 소망이 말 잘하고 글 잘하고, 인물 좋고 잠자리 잘하는 젊은 서방'이라고 주장한다. 이로 보아 화자가 가정생활에서 추구하는 남편상이라면 금전과 교양을 골고루 갖추고 성적인 만족까지 충족시키는 멋있는 남편을 원하는 것이다. 부부간의 행복을 가져다 줄 수 있는 물질과 정신이 함께 갖추어진 진실한 애정을 추구한다고 할 수 있다. 경제적인 풍요로움 뿐만아니라 진실한 애정을 추구하는 이 작품의 의미는 물질적인 사랑보다는 정신적인 만족과 육체적인 만족으로 진실한 사랑을 추구하려는 여성의 의지를 표현하고 있다고 할 수 있다.

　다음의 사설시조는 여성화자가 장사치와 대화를 하면서 자신의 여성적인 매력을 위해서는 물질적인 과소비를 해서라도 연지분을 사겠다는 것으로 주목되는 작품이다.

　　딕들에 臙脂라 粉들 사오
　　져 쟝ㅅ야 네 臙脂粉 곱거든 사쟈
　　곱든 비록 안이되
　　불음연 녜업든 嬌態 졀로 나는 臙脂粉이외
　　眞實로 글어ㅎ 량이면 헌 솟거슬 풀만졍
　　대엿 말이나 사리라

　　〈현대역〉
　　댁들에 연지라 분들 사오
　　저 장사야 네 연지분 곱거든 사자
　　곱지는 비록 아니하되

바르면 예 없던 교태 절로 나는 연지분이오
진실로 그러할양이면 헌 속 것을 팔망정
대엿 말이나 사리라

일석본 청구영언(一石本 靑丘永言)¹⁶

'여자들은 사랑을 원하고, 남자들은 섹스를 원한다.'는 말이 있다. 사랑에 대한 여자들의 욕망은 여자들이 가진 모든 섹스지향의 기질을 능가하게 될 것이다. 여자들에게 섹스란 사랑하고 사랑받는다는 보상을 획득하기 위해 치르는 댓가에 불과하다고 할 수 있다. 하지만 이 장에서 검토하는 사설시조에서는 고색창연(古色蒼然)한 이러한 관찰을 뒤집어엎고 있다.[17]

장사치와 여성화자의 대화로 이루어진 이 작품은 다른 '댁들에' 유형의 시조보다도 장사치와 여성 고객 간의 성에 관한 흥미로운 흥정이 주가 되어 많은 주목을 받고 있다. 시정에서 이루어지는 상행위를 구어(口語)체 그대로 옮겨 놓아 상행위의 사실적인 모습을 포착해내고 있다. 이러한 표현은 고정된 삶을 형상하는 것이 아니라 서민들의 역동적인 모습을 드러내고 있다고 할 수 있다. 이 작품의 여성화자는 물질적으로 과소비를 하더라도 님에게 성적인 매력을 과시하고 님의 애정을 쟁취하기 위해 연지분을 사서 바르고자 한다. 그러므로 이 작품 내의 대화는 상행위를 묘사한 부분도 있지만 여성화자와 장사치의 성적인 말놀음이 주된 내용이라 할 수 있다.

---

16 심재완, 『역대시조전서』, 세종문화사, 1972, 846번 참조.
17 앤소니기든스(배은미·황정미 옮김), 『현대사회의 성·사랑·에로티시즘』, 새물결, 2003, 117쪽 참조.

초장에서는 장사치로 대표되는 남성화자와 고객으로 연상되는 여성화자의 상거래를 서술하고 있다. 상행위는 조선후기 여성의 아름다움과 교태를 상징하는 연지분을 사고파는 일이다. 여성이 아름다워지고 싶은 일은 고금이 모두 똑같다고 할 수 있다. 아름다움을 추구하려는 여성과 그 아름다움을 도와주는 화장품을 팔려는 장사치가 서로 흥정을 하면서 상품의 품질이 어떤지를 초장에서 여성화자가 묻고 있다.

이에 남성화자인 장사치는 중장에서 여성화자의 질문에 엉뚱하게 연지분의 가루가 곱지는 않지만 사서 바르면 옛날에 없던 교태(嬌態)가 저절로 생겨난다고 한다. 이 부분에서는 연지분을 사고파는 상행위가 반전이 되어, 남녀 사이에서 성적인 대화를 이어가는 모습을 연상시키는 표현을 하고 있다. 건전한 상행위는 장사치가 여성 고객에게 사서 바르면 교태가 일어난다는 말을 매개로 하여 성적인 말놀음인 성담론으로 변하고 있다.

종장에서 여성화자는 장사치의 성적인 말놀음에 더하여 정말로 교태가 생긴다면 헌 속옷을 팔더라도 연지분을 여섯 말이나 넘게 사서 바르겠다고 한다. 즉 자신의 매력적이고 여성적인 외모를 위해서는 과소비를 서슴지 않는다는 말이다. 이러한 사정에 이르게 되면 장사치와 주부의 입장이 서로 바뀌어 장사치의 성적인 말놀음에 더하여 주부가 더욱 적극적으로 성적인 육담을 주도하는 입장에 서게 된다. 연지분을 사고팔려는 장사치의 상행위를 매개로 하여 남녀간의 애정을 사고파는 상황으로 논의가 발전하게 되었다. 어쨌든지 이 여성화자는 연지분을 사는 데 동의했고, 장사치는 남녀간의 성적인 육담을 매개로 하여 여성들에게 연지분을 팔았다고 볼

수 있다. 이처럼 장사치의 성담론을 통한 상행위에 대해 여성화자
의 지나치고 과장된 대응은 독자들로 하여금 성적인 웃음을 유발하
게 한다. 이러한 성적인 육담은 장사치보다 여성화자에게 강조되고
희화화되어 당대 여성들의 자유로운 성담론을 이끌어 갔다고 할 수
있다.

결국 권력을 가진 남자들이 섹스 대상을 얻는 데 그 힘을 이용했
다면, 여자들은 권력에 접근하기 위한 도구로 섹스를 이용했다. 하
지만 전리품으로서의 여성이나 아내라는 의미에서 알 수 있듯이 남
성과 여성이 전략면에서는 차이가 있을 지라도 다양한 남녀관계 중
에서 누가 사냥꾼이고 누가 전리품인지가 항상 확실한 것은 아니라
고 할 수 있다. 남자와 여자가 서로 다른 전략을 사용하는 것은 결
코 우연이 아니다. 대부분의 역사를 통틀어서 남자가 경제력과 정
치 권력을 독점해 왔음을 감안할 때 뾰족한 다른 대안은 거의 없었
다고 할 수 있다.[18] 남자와 여자는 사랑에 대한 행동방식이 다르게
나타날 수 밖에 없었다.

이 작품은 장사치의 성적인 말놀음을 바탕으로 여성화자가 상행위
보다는 성적인 담론을 주도하는 내용으로 서술되고 있다. 여성 고객
에 연지분을 팔려는 장사치의 타고난 상행위는 여성 고객의 잠재적
인 성욕을 자극하게 하여 일시에 분위기를 반전시키고 서로 성적인
놀음으로 장사판을 유도하는 것이라 할 수 있다. 이와 같이 사설시조
에 나타난 금전문제가 물질적 궁핍을 강요하는 사회와의 투쟁이 드
러나지 않고, 오락이거나 유흥의 관점으로 나아가고 있다는 상황으

---

18 루스 페스트 하이머·스티븐 캐플린(김대웅 역), 『스캔들의 역사』, 이마고, 2004,
   86-87쪽 참조.

로 미루어보아 사설시조는 유흥문화의 산물이라 할 수 있다.

현실적으로 배우자의 선택문제는 금전적인 문제, 가문의 문제, 삶의 질 문제 등 복합적으로 뒤얽혀 있다고 할 수 있다. 이들 작품에서처럼 가정생활에서 여성들이 경제적으로 안정된 생활을 하게 되면 진실한 애정을 추구하고 싶은 욕망이 생기는 지도 모른다. 인간의 삶에서 배우자 선택이 이처럼 단순하면 좋겠지만, 모든 사람이 희망하는 행복한 결혼생활은 경제와 사회 그리고 인간의 감정 등이 복합적으로 융합되어 있으므로 문학작품에 표현되는 단편적인 양상과는 사뭇 다르다고 할 수 있다. 특히 반복적이고 일상적인 일로 바쁜 사람들이 자신의 삶을 총체적으로 조명해볼 기회를 갖기는 사실상 어렵다. 비록 자신의 상황을 객관화시켜 보고 있다고 하더라도 그 제약을 뛰어넘기가 어려운 것이 애정의 문제가 아닌가 한다. 그러므로 조선후기 사설시조는 이처럼 희화적이고 유흥지향적인 성담론을 통해서 주부들의 억눌린 성의식을 발산하는 도구로도 사용되었다고 할 수 있다.

4. 애정담론에서 자본의 역할

21세기 우리 사회는 지난 수십 년간에 산업화, 도시화, 서구화 등의 영향으로 급격한 사회변동을 경험하고 있으며, 가족도 이와 같은 변화의 물결에 휩싸이고 있다. 이러한 시기에는 가정에서 여성들의 역할이 더욱 강조되고 있으며 지혜로운 웃음으로 가정에 행복을 가져다주는 주부들의 모습이 기대된다고 할 수 있다. 지금까지 우리는 사랑의 사회학으로서 사설시조에 나타난 주부들의 성담론을 자본과 연계시켜 살펴보았다. 자본은 가정을 영위하는 데 가장 중요한 요소라 할 수 있고, 남녀의 결혼에서도 자본은 중요한 역할을 한다고 할 수 있다. 사람은 태어나면서 소비를 하고 다시 재화를 창출하게 되고, 소비와 재화의 창출을 반복하면서 살아간다고 할 수 있다.

오랜 세월 동안 서로 다른 환경에서 부모의 사랑을 받으며 자라온 한 쌍의 남녀가 결혼을 하였을 때는 긴장과 갈등이 생기기 마련이다. 우리나라의 가족은 과거 가부장제가 지배함으로써 그 가족의 가장은 절대적인 권위를 지니고 있었으며, 주부는 가사노동을 통해서 자신의 삶을 살아가면서 가족간의 문제, 성적인 문제 그리고 경제적인 문제 등에 대해서 많은 고민을 해야 했다. 전통적인 가정에서 갈등의 주된 원인은 경제적인 문제이며 그리고 애정의 문제일 것이다. 경제적인 문제에 애정의 갈등이 추가되었을 때 그 부부의 갈등은 심화된다고 할 수 있다.

남성이 재화나 물질을 들여 여성을 유혹한 경우의 사설시조에서는 금전을 매개로 한 애정의 갈등이 주된 화두로 등장하였다. 이러한 사설시조는 남성이 여성에게 물질을 제공하는 자가 되고 사랑을 고백하는 주체가 되어 상대 여성과 함께 애정관계를 지속한 경우라고 할 수 있다. 이러한 물질을 매개로 한 부부의 애정관계는 서로의 신뢰가 깨어지면 남편과 아내가 각각 맞바람을 피우는 모습으로 표출되고 있어, 조선시대의 발랄하고 열린 성담론의 모습을 보여주고 있었다. 처음에는 물질을 대리만족으로 하여 가정에서 남편과 아내가 행복했지만, 그 행복은 얼마 가지 않아서 깨어진다는 사실을 적나라하게 보여주고 있다. 이러한 유형의 사설시조는 당시 여성이나 남성들이 가정에서 일어난 애정갈등을 서로 상대방에게 뒤집어씌우는 희화적인 표현으로 부부간의 애정갈등을 해소하는 한 방법으로 자리 잡았다고 할 수 있다. 사설시조가 연회의 현장에서 가창되었다는 사실로 볼 때, 사설시조가 불려질 때에 그 공간은 유흥성과 오락성이 고조되어 인간 본연의 질펀한 노래가 불려져서 남녀간에 노골적인 성(性)에 대한 묘사가 자유롭게 이루어진다고 할 수 있다. 이처럼 사설시조에 나타난 남녀의 대등한 성담론은 여성의 성적 억압을 상상적으로 해소하기 위한 욕망의 투사체이거나 혹은 대리만족으로 여성의 성적 욕망을 다루었다고 보아야 할 것이다.

금전보다는 인간다운 진실한 애정을 추구한 사설시조에서는 애정을 금전이나 물질과 비교하는 일에 초월하여 자유롭고 진실한 성담론을 추구하고 있었으며 그 애정의 주체는 여성이라 할 수 있다. 이러한 사설시조에서도 성담론은 비밀스럽게 감추는 것이 아니라 성에 대한 주부의 의식을 노골적으로 드러내고 있다. 심지어는 아름답고 매력적인 젊은 남성을 상대방으로 선택하기 위해서 여성화자는 물질과 금전을 헌신짝 버리듯이 하면서 성담론을 주도하고 있다. 이런 경우의 여성화자는 물질을 거부함으로써 성적 기저에 억눌린 심리를 보상받으려는 듯이 금전과 물질을 초월하여 완벽한 남성에 대한 그리움을 나타내는 성담론을 표출하고 있었다.

또다른 사설시조에서는 여성 고객에게 연지분을 팔려는 장사치의 타고난 상행위가 여성 고객의 잠재적인 성욕을 자극하자, 단번에 여성화자는 분위기를 반전시키고 작품의 내용을 상행위에서 남녀의 애정생활로 이끌어가고 있다. 이때 여성화자는 성담론의 분위기를 주도하며 자신의 성적인 매력을 위해서는 물질적인 과소비도 아끼지 않게 되었다. 이와 같은 사설시조에 나타난 물질문제나 금전문제는 물질적 궁핍을 강요하는 사회와의 투쟁이 드러나지 않고 오락성이나 유흥성의 측면에서 재화나 금전의 과소비도 주저하지 않고 있다. 이처럼 사설시조에서는 조선후기 여성들이 자신의 성적 매력을 향상시키기 위해서 어떤 모험이나 고통도 감수할 수 있다는 새로운 의식의 변화가 싹트고 있었음을 보여주고 있다.

사설시조에 나타난 사랑의 사회학으로서 자본을 매개로 한 주부들의 성담론이라는 말은 현재 무너져가는 가족관계와 천민자본주의 그리고 개방된 성문화가 전개되고 있는 21세기 현대인들에게 많은 관심을 끌기에 충분하다고 생각한다. 조선시대 유교사회의 풍류방이나 유흥의 산물로 흥행한 사설시조에 담겨있는 주부의 모습은 유교적 질서가 확고했던 조선시대에도 여성이 가정 내에서 그 역할이 점차 변해가고 있었으며, 현대 여성들 못지않게 자유롭고 발랄한 성담론을 구사하고 있어 주목할 필요가 있다.

가족갈등을 매개로 한
사설시조의 성담론

1. 애정과 가족갈등

가족제도가 위기를 겪고 있다. 20세기 초에 등장한 근대의 가족제도는 전통사회의 가족제도를 붕괴시키면서 성립하였다. 전통사회의 가족제도의 큰 특징은 가부장을 중심으로 하는 대가족제도의 형태였다. 우리나라에 1920~1930년대에 정착하기 시작한 결혼제도는 신분제를 바탕으로 한 대가족제도를 반대하였다.[1] 자유연애를 기반으로 한 1부1처의 결혼제도는 전통사회의 가족제도보다 평등하고 합리적인 제도로 여겨졌다.

최근에는 근대의 가족제도가 급격한 이혼의 증가와 젊은이들의 결혼 기피로 다시 흔들리고 있다. 이러한 요인들이 등장한 원인에는 여성의 경제적 독립과 자율성 증대, 결혼생활 내에서의 비현실적이고 쾌락주의적인 로맨스의 기대, 가계지출에 대한 부부간의 불협화음 등이 포함되어 있다.

---

[1] 에바일루즈(박형신·권오헌 역), 『낭만적 유토피아 소비하기』, 2014, 이학사, 94-96쪽 참조.

오늘날 우리 사회에서 화두로 등장한 '불량 주부', '불량 아빠', '불량 커플'이란 말들이 있다. 이 말들은 2005년부터 한 방송국의 드라마 제목으로 '불량 주부'가 방영되면서 더욱 유행했다. 최근 여성들의 사회 진출과 남성들의 취업난으로 인해 생겨난 이러한 말들은 새로운 결혼 생활의 풍속도를 보여주고 있는 것 같다. 요즈음 가정 내에서 남성과 여성의 역할 변화가 가져온 새로운 가정생활의 풍속도와 그 모습을 보여주고 있다는 측면에서 이 드라마는 많은 시사점을 주었다고 할 수 있다.

조선시대 우리의 여성들은 가정 내에서 여성과 주부로서의 역할을 어떻게 정립해 갔을까? 사설시조에서는 주부들이 가정 내에서 일어나는 다양한 갈등을 희극화된 성담론으로 풀어내고 있다. 이러한 모습은 사회의 급격한 환경변화로 가족간의 갈등이 상존하는 현대 21세기의 사회에서도 주목을 받을 수 있다.

가족이란 한 쌍의 부부를 중심으로 혈연관계에 있는 사람들이 가족의식을 가지고 가계를 공동으로 영위해가는 집단이라 할 수 있다. 가족의 구성은 부부와 형제, 자매 등 횡적인 관계와 부모와 자녀간의 종적인 관계로 크게 나누어진다고 할 수 있다. 우리나라의 가족은 과거 가부장제가 지배함으로써 그 가족의 가장은 절대적인 권위를 지니고 있었으며, 주부는 가사노동을 통해서 자신의 삶을 살아가면서 가족간의 문제, 성적인 문제 그리고 경제적인 문제 등에 대해서 많은 고민을 해야 했다. 전통적인 가정에서 갈등의 원인이 된 것은 시어머니와 며느리의 갈등이라 할 수 있으며, 주부와 가장의 성적인 갈등도 그 중요한 가족 갈등의 요소가 되었다.

가정이 유지되는 것에는 질서가 필요하고 그 질서를 맡은 사람은

가장이며, 가장은 가족의 생활 전체를 통솔할 수 있는 능력과 풍부한
인간성이 요구된다고 할 수 있다. 전통적으로 주부란 한 가정을 이루
며 살고 있는 가장의 아내로서 여성을 의미하는 말이라고 할 수 있다.
조선후기에 노래된 사설시조에는 가정의 주부가 주제나 소재가 되어
그 생활하는 모습을 사실적으로 보여주는 작품이 종종 있다. 사설시조
에 나타난 주부들의 성담론을 찾아가는 작업은 작품 속에서 화자[2]가
성담론에 자유로운 여성, 즉 성담론에 대한 기존의 관념을 뒤집어엎는
여성에 대하여 표현하고 있는 상황을 통해서 가능하다고 할 수 있다.
그러므로 사설시조에 나타난 가족간의 갈등을 매개로 하는 성담론을
분석하는 작업[3]에서는 가정의 주부인 시어머니와 며느리 그리고 처와
첩의 관계를 살펴봄으로써 가능하다고 할 수 있다.[4] 사설시조에 나타
난 주부의 성담론은 가족간의 갈등으로 시어머니와 며느리의 갈등,
처와 첩 사이의 갈등 등을 통해서 잘 나타나고 있다.

전통적인 결혼제도는 사랑하는 사람에게 계속 헌신함으로써 애정이
라는 원초적인 본능을 승화시키고 영혼을 고상하게 하는 하나의 종교적
감정이었다. 여성에게 결혼은 아이를 양육하고 남편에게 헌신하는
과업이라는 측면에서 정신적으로나 성적으로나 순수성이라는 이상을
요구하였다.[5] 그러나 전통사회의 사설시조에서는 당시의 결혼제도를

2 류해춘, 「사설시조에 나타난 시적 화자의 유형과 그 특성」, 『어문학』 52집, 1990,
  311-332쪽.
3 김석회, 「사설시조 '각시닉 내 첩(妾)이 되나'의 의미와 의미변용」, 『조선후기 시가
  연구』, 월인, 2003.; 김종환, 『사설시조의 서술구조와 현실인식의 표출양상 연구』,
  경북대대학원(박사), 1994.; 박애경, 『조선후기 시조의 통속화 과정과 양상 연구』,
  연세대대학원(박사), 1997.
4 류해춘, 「21세기 속의 화두, 사설시조에 나타난 주부의 성담론(1)」, 『시조세계』 19집,
  2005, 132-145쪽.; _____, 「21세기 속의 화두, 사설시조에 나타난 주부의 성담론
  (2)」, 『시조세계』 20집, 2005, 133-147쪽.

희화화하는 새로운 풍속도를 창조하면서 낭만적 사랑은 불가피하게 새로운 세속화의 물결에 휩쓸리게 되었다. 전통사회의 결혼제도에서 낭만적 사랑이라는 이념은 새로운 세속적인 가치의 등장과 함께 희생, 사심없음, 이상주의의 테마들을 점점 무시하기 시작했다.

사설시조는 18세기 조선후기로 넘어 오면서 작품의 수가 증가하고 그 제재가 다양해지면서 사회적인 문제의식이 확장되는 추세를 보여 준다.[6] 사설시조에 나타난 주부들의 성담론이라는 말은 현재 무너져가는 가족관계와 천민자본주의 그리고 성(性)산업의 노예가 되고 있는 현대인들에게 많은 관심을 끌기에 충분하다고 생각한다. 조선시대 유교사회의 풍류방이나 유흥의 산물로 흥행한 사설시조에 담겨있는 주부의 모습은 유교적 질서가 확고했던 조선시대에도 여성이 가정 내에서 그 역할이 점차 변해가고 있었으며, 21세기 현대사회의 여성들 못지않게 자유롭고 발랄한 성담론의 모습을 보여주고 있어 여성해방의 선구자가 아닌가 한다.

2. 희극화된 시어머니와의 갈등

가정은 남녀의 결혼에 의해서 성립이 되고, 개인적인 욕구를 가

---

5 앤소니기든스(배은미·황정미 옮김), 『현대사회의 성·사랑·에로티시즘』, 새물결, 2003, 62-63쪽 참조.

6 고정옥, 『고장시조선주』, 정음사, 1949.; 김학성, 「사설시조의 담당층」, 『한국고시가의 거시적 탐구』, 집문당, 1997, 387-416쪽.; 김흥규, 『사설시조』, 고려대민족문화연구소, 1993.; 신은경, 『사설시조의 시학 연구』, 서강대대학원(박사), 1988.; 조규익, 『만횡청류』, 박이정, 1999.

장 이상적이고 정상적으로 충족시킬 수 있는 곳이다. 가족 구성원 각자에게는 정해진 지위와 책임이 주어지고 있는데, 그것은 한 가정 전체를 위하고 완전한 화목을 도모하기 위해서 가족 구성원 전체가 최선을 다하여야 하는 규범이라고 할 수 있다.

여자가 결혼해서 시집식구들과 함께 사는 것을 시집살이라고 표현한다. 이 시집살이에서 주부는 힘들고 고된 일을 시어머니나 시집 식구들의 간섭을 받으며 살아가는 경우가 근대 가부장제도 아래에서 일반적인 현상이라고 할 수 있다. 시어머니의 감독과 간섭 속에서 고된 결혼생활을 하는 주부는 암암리에 시어머니와 갈등이 싹튼다고 할 수 있다.

사설시조에는 시어머니와 며느리의 갈등을 표현하고 있는 작품이 있다. 여성이 가정생활을 하면서 잘못된 살림살이로 인해서 시어머니와 일어난 갈등을 작품 속에서 희화적으로 표현하고 있다. 이러한 유형의 사설시조는 여성들이 가정 내에서 일어난 갈등을 해소하는 한 방법으로 자리 잡았다고 할 수 있다.

　　새약씨 싀집 간 날 밤의 질방글이 대엿슬 쌀이 븟이오니
　　싀어머님이 이 이를 물라 둘라 ᄒᆞ는고야
　　며늘이 對答ᄒᆞ되 싀엄의 아들놈이 울이짓 全羅 慶尙道로셔
　　會寧 鍾城 다희를 못 쓰게 쌀어 어괴롯쳣신이
　　글노 빅여 보와도 兩違將홀까 ᄒᆞ노라

〈현대역〉
새악시 시집간 날 밤에 질방그릇 대여섯을 때려 바리오니

시어미 이르기를 물어 달라 하는 고나
며느리 대답하되 시어미 아들놈이
우리 집 전라도 경상도로부터
회령종성 다리를 못 쓰게 뚫어 그릇 쳤으니
그걸로 비겨보아도 피장 파장할까 하노라

해동가요(海東歌謠)[7]

남녀 사이의 사랑에 대한 은유관계로서의 문화적 유형은 쾌락으로서의 사랑과 노동으로서의 사랑을 조응할 수 있다. 사랑을 하나의 강렬한 힘으로 보는 문화적 모델은 사랑을 노동으로 보는 반대의 문화적 모델과 공존한다.[8] 시집간 새색시가 체험하는 남편과의 사랑방정식은 불타오르는 열정을 바탕으로 이루어지는 쾌락으로서의 사랑에 비유할 수 있다. 이들이 불꽃같은 사랑을 하면서 사랑을 유지하는 것은 의식적이며 합리적인 이해를 벗어나 있는 경우가 많다. 따라서 쾌락으로서의 사랑은 예측하거나 실천할 수 없고 사람들은 다만 마음이나 정신적으로 사랑의 콩깍지처럼 사랑에 도취되기를 기다리고 희망하는 사랑이라고 할 수 있다. 그래서 사랑을 하나의 강렬한 힘으로 보는 문화 유형인 쾌락으로서 사랑은 노동으로 보는 반대의 유형과 공존한다고 할 수 있다.

노동으로서의 사랑은 시어머니와 며느리의 사랑처럼 자본이나 노력이 사랑의 마법적 불꽃을 대신하고, 헌신이 열정이라는 압도적

---

7 김흥규 역주, 『사설시조』, 고려대민족문화연구소, 1993, 152번 참조.
8 에바일루즈(박형신·권오헌 역), 『낭만적 유토피아 소비하기』, 2014, 이학사, 329-333쪽 참조.

인 힘을 대신하며, 의식적으로 판단하는 힘이 자발적인 분출을 대
신하여 거래와 함께 계약에 의거한다고 할 수 있다. 전통적인 대가
족 제도에서는 며느리와 시어머니의 관계인 시집살이는 노동으로
서의 사랑의 예가 될 수 있다.

시집살이는 시간이 지나 감에 따라 그 정도가 완화되는 것이 일
반적인 현상이라 할 수 있다. 그런데 이 작품의 초장에서는 며느리
가 시집온 첫날밤에 살림살이인 질그릇을 깨는 데서 시어머니와 갈
등이 시작된다. 아마도 며느리는 미숙한 살림 솜씨와 시집살이의
긴장감으로 질그릇을 깨뜨린 것 같다. 그릇은 음식을 담는 도구로
서 가정생활에 꼭 필요한 것이라 할 수 있다. 주부들이 시집가서
느끼는 어려움 중의 하나가 식성이 달라서 고생했다는 점이 주목된
다. 사용하는 그릇이 다르고 식성이 다른 점은 새롭게 시집온 주부
를 긴장시키고 당황하게 만들 수 있다. 그래서 이 시조에서는 새로
시집온 주부가 질그릇을 깨뜨리고 시어머니와 갈등하게 되는 문제
의 인물이 된다. 며느리와 시어머니는 노동으로서의 사랑과 쾌락으
로서의 사랑을 중심에 두고 서로 갈등을 일으키고 있다.

중장에서 등장하는 화자는 시어머니와 주부인데 상당히 희극화
된 인물이라 할 수 있다. 여기서 노동으로서의 사랑을 중시하는 시
어머니는 막 시집온 새댁이 실수로 깨뜨린 질그릇을 새댁에게 보상
해달라고 한다. 이에 쾌락으로서의 사랑과 노동으로서의 사랑을 융
합한 새댁이 지닌 사랑의 사회학은 시어머니의 아들이 자신의 몸의
일부분인 처녀성을 상실하게 했으므로 물어 줄 수 없다고 응수한
다. 이러한 며느리의 태도는 처녀성 상실과 질그릇 몇 개를 깨뜨린
것과 간단하게 대치하여 물질로서의 사랑을 판단하는 시어머니의

노동으로서 지닌 사랑의 심각성을 간단하게 희화화시켜 버린다.

여기에 등장하는 비속어 '시어미 아들놈'은 새악시의 몸 전체로 비유된 처녀성을 훼손한 사람이 된다. 그리고 '우리 집 전라도 경상도에서부터 회령 종성까지 못쓰게 뚫어 놓았다'는 성행위의 비유는 새악시의 몸 전체를 한반도로 설정하여 윗몸을 전라도 경상도로 표현하고, 새악시의 음부 부근을 함경도의 회령과 종성으로 비유하고 있다. 화자인 새악시는 별다른 상관성이 없어 보이는 자신의 서투른 살림살이와 시어머니 아들의 처녀성 훼손을 동일시하여 웃음을 유발하게 한다. 이처럼 화자인 며느리는 이 작품에서 재치와 기지로 며느리와 시어머니의 갈등을 희화화시키고 피장파장의 웃음을 일으키게 한다.

종장에서 화자는 아들이 새댁의 몸을 못 쓰게 한 것과 새댁이 그릇을 깨뜨린 것이 서로 피장파장이라는 말이다. 이 말은 노동으로서의 사랑과 쾌락으로서의 사랑을 대등하게 판단하는 새댁의 재치 있는 성담론이라 할 수 있다. 새댁의 이 말에서 희극성은 배가 되고 우리들은 배꼽을 잡고 마음껏 웃을 수 있는 것이다.

가정의 유지는 성(性)에 의해서 강하게 통제된다고 할 수 있다. 부부의 성은 가정생활에서 가장 기초적인 것이라 할 수 있다. 한 남자와 한 여자가 애정을 바탕으로 하여 맺어지는 성은 상대에 대한 독점적 소유를 통해서만 충족될 수 있다. 전통적인 주부의 삶은 가정이라는 좁은 공간 안에서 이루어지고 있다. 가정은 단순한 휴식의 장소만이 아니라 자녀가 바람직한 인간이 되도록 자녀교육을 시키는 장소이고, 가정은 성과 혈연 그리고 가치관에 의해 강하게 유지된다. 가정에서 가장 중요한 일은 함께 취사(炊事)를 하며 음식물을 만드는 일과 부부간의 성관계라 할 수 있다. 위의 노래에서는 성관계의 흔적과 서툰 살림솜씨를 동일시하고 희화화하여 조선시대의 발랄하고 열린 성담론의 모습을 보여주고 있어 매우 시사적이라 할 수 있다.

이 작품에서는 사랑은 감정이지만 관계는 계약이라는 사실을 보여주고 있다. 사랑에 빠지는 것은 그저 일어날 수 있는 일이지만, 사랑하는 관계가 지속되기 위해서는 특정한 기술인 재치나 위트 그리고 해학 등이 필요하다는 것을 보여주고 있다. 이처럼 사설시조에서는 사랑에도 며느리와 시어머니의 감정과 관계의 차이를 보여주는 흥미로운 사랑의 비유를 해학적으로 보여주고 있다.

또 다른 작품에서는 시어머니와 며느리의 불륜을 고백하고 폭로하여 가족간의 갈등을 희화화시키고 있다. 조선조 사회에서는 결혼의 순수성을 해치는 간통을 큰 범죄로 여겼다. 남성에게는 첩과 기녀가 존재하여 성본능과 규범 사이에서 균형을 유지할 수 있었지만, 여성에게는 정절과 인내를 강요한 경우가 많았다. 그러나 사설시조에 나타난 이러한 성담론은 여성의 성적 억압을 상상적으로 해소하기 위한 욕망의 투사체이거나 혹은 대리만족이라는 기제로 여성의 성적 욕망을 다루었다고 보아야 할 것이다.

어이려뇨 어이려뇨 싀어마님 어이려뇨
쇼대 남진의 밥을 담다가 놋쥬걱 잘늘 부르쳐셔니
이를 어이ᄒ려뇨 싀어마님아
져 아기 하 걱정 마스라
우리도 져머신 제 만히 것거 보왓노라

〈현대역〉

어이려뇨 어이려뇨 시어마님아 어이려뇨

샛 서방의 밥을 담다가 놋 주걱 자루를 부러뜨렸으니

이를 어이려뇨 시어마님아

저 아기 하 걱정 마라 서라

우리도 젊었을 때에 많이 경험해 보았노라

청구영언(靑丘永言)[9]

불륜의 역사는 결혼과 함께 공존한다. 특히 남성들로부터 불륜이 시작되었다고 한다. 남성 위주로 펼쳐지는 성담론은 남자의 필요, 욕구, 열망들이 오직 한 여자에 의해서 채워질 수 없다는 견해를 수 세기 동안 사실로 입증하고 있다. 기원전 4세기 후반에 아테네의 웅변가인 아폴로도로스는 "남자들은 아내에게서 자손을 얻었고, 매춘부에게 쾌락을 얻었으며, 이른바 정부(情婦)에게서는 따뜻한 보살핌을 갈망한다."라고 공식적으로 선언했다. 하지만 여성의 외도는 자연의 법칙을 위반하는 것이기에 남자의 외도보다 훨씬 더 막중한 범죄, 용서받을 수 없는 범죄가 된다. 원시사회, 고대사회, 중세사회에서 여성은 부족과 국가, 가문을 위한 교환의 수단이었다. 여성들은 선택권이 없는 결혼생활에서도 온몸과 마음을 바쳐서 남편에게 충성을 다해야만 했다.[10]

사랑은 유한하지만, 욕망은 무한하다고 한다. 남성의 욕망은 억제할 수 없을 정도로 강력한 대신에 일시적이라고 한다. 남성은 애

---

9 심재완, 『역대시조전서』, 세종문화사, 1972, 1960번 참조.

10 정해성, 『매혹의 문화, 유혹의 인간』, 푸른사상, 2017, 47쪽 참조.

인이 절대적으로 자신의 여자이면서 낯선 이방인이 되기를 바란다. 이러한 현상은 위치를 바꾸면 현대의 여성에게도 마찬가지라 할 수 있다. 18세기 전통사회에서 여성의 불륜은 용서가 되지 않았지만, 사설시조에서는 시어머니와 며느리가 서로 불륜의 관계를 작품에서 고백하고 있는 내용이 있어 주목을 받고 있다.

　사랑과 애정생활은 한 남성과 한 여성 사이에서 일어나는 은밀한 일 같지만, 우리 사회의 남성과 여성의 관계를 거울처럼 반영한다고 할 수 있다. 우리가 진정으로 사랑과 성을 가장 인간적인 만남의 장으로 인식하고 싶다면 우리가 원하는 사랑과 성의 실체를 파악하는 일부터 시작해야 한다. 위의 작품에 등장하는 화자로서의 시어머니와 며느리는 남편 외의 다른 남자와 은밀한 사랑을 즐겼다. 그런데 은밀한 사랑이 밥을 푸는 놋 주걱에 투사되어 외간 남자와의 불륜을 노골적으로 고백하는 목소리로 연결되고 있다.

　초장에서 며느리는 병렬과 반복의 기법으로 시어머니에게 걱정되는 말을 전하고 있다. 이러한 반복과 병렬의 기법은 구비문학의 특성으로 사설시조가 연회의 현장에서 가창되고 노래되었다는 사실을 간접적으로 보여주는 증거가 된다. 시조가 불리어진 연회의 공간은 이같은 사설시조가 가창될 때 쯤 되면, 유흥의 공간으로 변화되어 인간 본연의 질펀한 노래가 불려져서 불륜과 노골적인 성(性)에 대한 묘사가 자유롭게 이루어진다고 할 수 있다.

　중장에서는 화자인 며느리가 청자인 시어머니에게 초장에서 걱정했던 내용을 상세하게 서술하고 있다. 그 내용은 며느리가 샛서방의 밥을 푸다가 주걱을 부러뜨린 허물을 시어머니에게 고백한다. 며느리는 숨겨야 할 내용을 시어머니에게 고백하여 약자의 입장에서 시어머니의 처벌을 기다리는 자세로 왜소하게 기다리고 있다. 그러나 이와 같은 며느리와 시어머니의 긴장관계는 종장에서 시어머니가 마찬가지로 젊은 시절에 행한 실수담을 고백함으로 화해가 된다.

종장에서 화자인 시어머니는 며느리에게 걱정하지 말라고 하면서 자신도 젊은 시절에 많이 겪어본 것이라고 경험담을 서술하여 며느리를 위로한다. 며느리와 시어머니의 동질성은 젊은 시절에 샛서방의 밥을 담다가 주걱을 부러뜨린 일이다. 시어머니의 기지에 찬 대답으로 긴장감이 돌던 고부간의 대화는 서로의 비밀이 노출되는 순간 화해와 공감의 분위기로 급격하게 전환되어 웃음을 유발하게 된다. 며느리의 마음을 편안하게 해주려는 기발한 기지 외 지혜가 함께 존재하는 현장이라 할 수 있다.

조선조는 유교 윤리를 실천의 이념으로 삼아 윤리를 저버리는 일은 용납할 수 없었다. 특히 여성에게 불륜은 인륜에 벗어난 것으로 비윤리적 행위를 뜻한다. 이 사설시조에서는 불륜을 비밀스럽게 감추는 것이 아니라 불륜을 노골적으로 드러내고 있다. 심지어는 불륜을 통해서 성적 기저에 억눌린 심리를 보상받으려는 듯이 노골적으로 성적 불륜을 표출하고 있다. 이러한 불륜은 우리 조선조 사회의 유흥문화의 한 단면을 보여준다. 그러나 현실적으로도 조선조 사회에서는 임병양란을 체험하면서 여성들의 수난사를 경험했다고 할 수 있다. 임병양란의 시기에 여성은 성적인 수난의 자리에 그대로 노출되어 있었다고 해도 과언이 아닐 것이다. 일본군, 명나라군, 청나라군 등과 전쟁을 치르면서 다른 나라의 군사들이 지나간 자리에는 여성이 성적으로 수난을 당하는 경우가 많았다. 그 수난의 자리에는 시어머니와 며느리가 따로 있을 수도 없었고, 많은 가정에서는 이를 숨기면서 혹은 알면서도 모르는 체하며 살아야 하는 것이었다.

전통사회의 윤리에서 여성은 가정의 테두리 안에서 현모양처로 살아갈 때에만 지위와 그 존재가치가 부여될 뿐이었다. 당시 여성들의 삶을 지배하는 시대적 한계가 바로 그것이다. 우리는 개인의 힘으로 어찌할 수 없는 사회구조적 문제를 긍정하며 당시 여성들의 일탈적인 모습에 공감할 수 밖에 없다. 이와 같은 현실의 상황 아래에서는 이러한 작품이 충분히 나타날 가능성이 있다고 보아야 할 것이다.

이러한 작품을 감상하면서 18세기 이후의 조선조 사회에서는 자유로운 사랑과 성담론을 추구할 수 있는 분위기가 무르익은 것 같다는 판단을 할 수도 있다. 하지만 사설시조에 나타난 성담론에서는 자유로운 성과 사랑을 사실적으로 재현하였다기보다는 가상의 상황을 상상적으로 재현하여 억눌린 성적 욕망을 풀어내는 기저인 대리만족으로서의 성담론으로 이해하는 편이 온당한 평가를 받을 수 있을 것이다. 즉, 조선시대 현실과 규범에서 제도적으로 은폐하였던 성담론은 위와 같은 사설시조라는 기저를 통해서 우리 사회에 공론의 장으로 나타났다고 볼 수 있다.

3. 예각화된 처와 첩 사이의 갈등

조선시대 사설시조의 작품들은 18세기가 되어 근대사회로 진입하는 시기에 고대사회와 중세사회에서 일어났던 불륜의 주인공들이 신과 왕과 그리고 신하 등의 귀족계급에서 일반의 백성들을 함께 포함하여 하강하는 현상을 강하게 반영하고 있다. 사설시조에는 가부장제도 아래에서 일어난 처와 첩 사이에 일어난 가족간의 애정갈등을 표현하고 있다. 처와 첩 사이에 일어난 애정갈등은 가정에서 현실과 물질 그리고 감정을 사이에 두고 가장의 권력으로도 포섭되지 않는 갈등으로서 가장의 권력보다도 더 강력한 존재[11]이면서 소유와 통제가 불가능한 존재의 사랑과 증오의 방정식이라 할 수 있다. 한 가정에서의 부부는 한 남자와 한 여자가 애정을 바탕으로 맺어지는 것이 가장 바람직하다고 할 수 있다. 남자와 여자의 결합이라는 것은 남편과 아내가 일대일의 대등한 관계에서 상대방을 독점해야 한다는 것이고, 애정을 바탕으로 해야 한다는 것은 비타산적인 순수한 감정의 공감대가 서로 결합해야 한다는 것을 뜻한다. 또한 부부간의 사랑은 성을 독점하려는 욕구와 밀접하게 관련되어 있으며, 그 독점적 소유를 통해서만 충족될 수 있다.

이러한 기본적인 전제가 충족되지 않은 부부관계는 불완전한 것이 되는데, 조선시대 가부장 제도 아래서는 한 남편과 다수 부인의 결합을 제도적으로 용인하게 되었다. 처와 첩은 한 남편과 공동의 부부관계를 형성하고 있으며, 한 남자의 아내라는 점에서 대등하다고 할 수 있다. 그렇지만 가족 내의 위상에서는 정실(正室)과 부실(副室)로 엄격하게 구분되고 있다는 점에서 상하의 수직적인 관계에 놓여 있기도 했다. 처는 가정을 이루는데 필수적인 존재이나, 첩은 처

---

11 정해성, 『매혹의 문화, 유혹의 인간』, 푸른사상, 58쪽 참조.

의 결함을 보완하기 위해 영입되는 부수적 존재라는 점에서 그들의 위치는 차이가 있었다. 한 남편과 다수 부인들의 결합을 용인하는 제도는 본질적으로 남편에 대한 부인들의 애정의 독점욕을 충족시킬 수가 없다고 할 수 있다. 이러한 현실 속에서 주부들은 필연적으로 남편의 애정을 독점하기 위해서 '처와 첩' 간의 갈등을 야기시키기 마련이었다.

우리의 고전문학인 사설시조에도 본처와 첩의 갈등을 표현하고 있는 작품이 있다. 가정생활을 하면서 남편의 애정을 독점하기 위해 여성들끼리 벌이는 애정문제의 갈등을 주부들은 사설시조를 통해서 표현하고 있다. 이런 작품들은 여성들이 가정 내에서 일어난 '처와 첩' 간의 갈등을 노골적으로 표출하여 긴장시키고 있으며, 사설시조도 '처와 첩' 간의 갈등 문제를 회피할 수 없었음을 보여주는 증거라 할 수 있다.

> 져 건너 月仰 바회 우희 밤즁마치 부헝이 울면
> 녯 사룸 니룬 말이
> 남의 싀앗 되야 百般 巧邪ᄒᆞᄂᆞ 져믄 妾년이
> 急殺 마자 죽ᄂᆞᆫ다 ᄒᆞᄃᆡ
> 妾이 對答ᄒᆞ되 안해님겨오셔 망년된 말 마오
> 나ᄂᆞ 듯ᄌᆞ오니 家翁을 薄待ᄒᆞ고 妾 새옴 甚히 ᄒᆞ시ᄂᆞ
> 늘근 안ᄒᆡ님 몬져 죽ᄂᆞᆫ다데

〈현대역〉

저 건너 월앙 바위 위에 밤중에 맞추어 부엉이 울면

옛 사람 이른 말이

남의 씨앗 되어 百般(백반) 巧邪(교사)하는 젊은 妾(첩)년이

급살 맞아 죽는다 하대

妾(첩)이 대답하되 아내님께서 망년된 말 마오

나는 듣자오니

가옹을 박대하고 妾(첩) 새옴 심히 하시는

늙은 아내님이 먼저 죽는 다대

청구영언(靑丘永言)[12]

　　일반적으로 가정을 지키는 주부는 자신이 처해 있는 삶이 사회적
으로 혹은 가정적으로 얼마나 제약을 받고 있는지 정확하게 파악하
기는 어렵다고 할 수 있다. 반복적이고 일상적인 일로 바쁜 주부가
자신의 생을 총체적으로 조명해볼 기회를 갖기는 사실상 어렵다.
비록 자신의 상황을 객관화시켜 보고 있다고 하더라도 그 제약을
뛰어넘기가 어렵다는 것이 부부간의 문제와 가정 내의 문제를 더욱
심각하게 만들 수 있다. 특히 처와 첩의 관계는 제도상으로는 엄격
하게 상하관계로 규정되어 있다고 하더라도 남편의 애정 방향에 따
라 처와 첩이 가지는 가정 내에서의 실질적 위상은 크게 달라질 수
도 있다. 이러한 처와 첩의 관계에서 남편이 첩의 편에 서게 되면
사정이 달라지기도 하였다. 위의 사설시조는 축첩(蓄妾)의 제도 아
래에서 가족갈등을 문제 삼고 있으며 처와 첩이 서로 '저 건너 월앙
바위 위에서 부엉이가 울면 사람이 죽는다'는 속언(俗言)을 인용하여

---

12 심재완, 『역대시조전서』, 세종문화사, 1972, 2547번 참조.

자신에게 유리하도록 해석하여 그 갈등을 예각화시키고 있다.

초장에서는 본처인 화자가 한 마디의 속언(俗諺)인 '월앙 바위 위에 밤중에 부엉이가 울었다'는 내용을 서정문학인 사설시조에 표현하고 있다. 하지만 이 짧은 문구 속에는 본처가 첩의 행실이 못마땅하여 속언을 인용하여 첩의 죽음을 암시하고 있어, 처와 첩 사이에는 엄청난 갈등이 존재하고 있었음을 알 수 있다. 대체로 늙은 처와 젊은 첩의 갈등은 수평적 관계에서는 애정다툼이 일어나고, 수직적 관계에서는 가정 내에서의 위상을 둘러싼 신분다툼이 빚어지게 됨으로써 복합적인 성격을 지니고 있다. 한 남자와 다수의 부인이 결합하는 축첩제는 본질적으로 불합리를 근원으로 하고 있다. 이러한 모순을 잘 드러내고 있는 이 작품에서는 처와 첩 사이의 갈등이 아주 심각하고 목숨을 건 투쟁에 빠져 있음을 알 수 있다.

중장에서 화자인 본처는 옛 사람의 말이라고 하면서 남의 첩이 되어 모든 일을 갖은 교태로 풀어내어 처를 괴롭히는 젊은 첩이 갑자기 죽는다고 한다. 본처인 화자는 첩이 남편에게 백 가지나 되는 교태로 남편의 마음을 빼앗아 가니까 능청스럽게 '밤중에 부엉이가 울면 사람이 죽는다'는 일반적인 속언을 구체화시켜서 첩의 행실이 옳지 못하므로 첩이 죽어야 한다고 서술하고 있다. 본처인 화자는 젊은 첩을 두고 자주 첩의 방으로 가는 남편의 행실에 대해서 직접 비판하기 보다는 첩의 행실비판을 통해서 간접적으로 고발함으로써 남편의 애정이 첩에게 옮겨간 문제의 심각성을 제기하고 있다.

종장에서는 첩이 화자로 등장하고 있다. 첩인 화자는 중장에서 '부엉이가 밤중에 울면 첩이 죽는다는 아내의 말'이 잘못되었으며 근거가 없다고 주장한다. 가정 내에서 열등한 위치에 있는 첩은 젊음과 미모를 무기로 하여 가장의 마음을 사로잡은 것이다. 이에 화자인 첩은 중장의 담화를 되받아서 가장을 박대하고 첩을 시기하고 질투하는 늙은 아내가 먼저 죽는다고 뒤집어 치기를 하고 있다. 속담에 "되로 주고 말로 받는다."라는 말이 있다. 늙은 아내는 젊은 첩의 기지에 찬 말에 도리어 당한 꼴이 되어 웃음을 유발하게 한다.

처첩간의 갈등은 애정다툼과 가정 내의 주도권 다툼, 금전다툼 등 복합적인 문제를 지니고 있다. 이 작품에서처럼 가족 내에서 우월한 지위를 이미 확보하고 있는 처들은 애정문제에 주된 관심을 가지는 반면에 애정문제에 관한한 상대적으로 유리한 위치에 있는 첩들은 열등한 가정 내에서의 위치를 극복하기 위해 본처의 불합리한 행동, 그리고 신분 문제에 주된 관심을 가지게 되었다.

다음의 사설시조는 가장(家長)의 입장에서 처와 첩의 행위에 대해 모두 비판을 하고 있는 것으로 주목되는 작품이다.

> 술 붓다가 盞 골케 붓는 妾과
> 첩흔다고 싀오는 안히
> 헌 빅에 모도 시러다가 씌오리라 가업슨 바다
> 風浪에 놀나 싀닷거든 卽時 다려 오리라

> 〈현대역〉
> 술 붓다가 盞(잔) 차지 못하게 붇는 妾(첩)과
> 妾(첩)흔다고 새옴 심하게 하는 아내
> 헌 배에 모두 실어다가 띄우리라 넓은 바다

풍랑에 놀라 깨닫거든 즉시 다려 오리라

악학습영(樂學拾零)[13]

조선조 사회에서는 남성과 여성의 결혼 생활에서 일부일처(一夫一妻) 제도를 고수하지 않고 일부다처(一夫多妻) 제도를 허용하고 있었다. 가부장 제도에서는 가장들이 첩을 들이는 문제에서 본처인 여성을 배제시키고 마음대로 전횡을 휘두를 수 있도록 되어 있었다. 한 남자와 다수의 여성과의 결합은 상대방이 지니고 있는 애정의 배타적 독점욕을 충족시킬 수 없어서 가족 갈등의 원인을 항상 내포하고 있었다. 이와 같은 불합리한 제도를 존속시키면서 가정의 화목을 유지하기 위해서는 가족간에 일어나는 갈등을 사전에 차단할 수 있는 장치를 마련하여 상대적으로 핍박받는 여인들에게 그 굴레를 씌우는 것이라 할 수 있다.

조선시대에 이러한 장치로 고안된 것이 여성들에게 부덕(婦德)이라는 이름으로 투기를 금지하는 것이 대표적이라 할 수 있다. 하지만 18세기 이후의 사설시조에는 가족간의 애정갈등인 처와 첩의 대립과 그 갈등에 힘입어 자본주의의 가치들이 문화와 사랑에 침투[14]하여 처와 첩이 서로 남편의 사랑을 독점하면서 경쟁하는 관계에 빠지게 된 상황을 자유롭게 희화화시켜 웃음으로 노래하고 있다.

위의 시조는 첩과 처의 못된 행실을 초장에서 설명하고 있다. 첩의 못된 행실로는 술을 따르는데 술잔에 가득 따르지 않고 적게 따른다고 비판하고 있으며, 처의 행실에 대한 비판은 첩에 대한 투기

---

13 심재완, 『역대시조전서』, 세종문화사, 1972, 1728번 참조.
14 에바일루즈(박형신·권오헌 옮김), 『낭만적 유토피아 소비하기』, 이학사, 334쪽 참조.

라고 할 수 있다. 여자들에게 규범과 관념으로 첩을 투기하지 말라고 하였지만, 현실적으로는 불가능했음을 보여주는 것이다. 이에 화자인 가장은 중장에서 못된 행실을 보이는 처와 첩을 모두 헌 배에 실어서 끝없이 넓은 바다에 띄우고자 한다. 그 이유는 종장에서 서술하고 있다. 종장에서 화자는 처와 첩이 풍파에 놀라서 자기들이 가장에게 잘못한 내용을 깨치면 데려오겠다고 한다. 이처럼 처와 첩의 행위에 대해 가장의 지나치고 과장된 대응은 독자들로 하여금 웃음을 유발하게 한다. 가정에 늘 존재하는 조그마한 위기를 심각한 위기로 여겨서 지나친 대응으로 과도하게 처와 첩에게 벌을 주고자하는 가장의 모습은 이 작품에서 희화화되고 풍자되어 도리어 웃음을 유발하고 있다.

이 작품은 가부장인 화자가 불합리한 행위를 통해서 처와 첩 사이에 야기되는 갈등의 문제를 해결하려고 하고 있다. 작품에 나타난 가장의 강제적이고 폭력적인 위협은 가부장 사회 아래에서 일어나는 처첩제도의 불합리성을 고발하고 그 제도의 모순성을 비판하는 데 그 초점이 있다. 이처럼 이 작품은 축첩의 대상이 되는 가부장의 불합리한 행위를 폭로함으로써 가부장 제도를 은근히 비꼬면서 풍자하고 있는 작품이라 할 수 있다.

이러한 작품은 가장이 처와 첩의 행실에 대해 불만을 드러내고 그에 대한 응징을 보여주려고 하지만, 화자의 이러한 무모한 행위를 접하면서 독자들로 하여금 냉소적인 웃음을 유발시켰다. 이러한 웃음은 당시의 축첩제도를 용인하면서 그를 즐겼던 계층들에게 각성을 촉구하는 20세기 근대의식을 지닌 일부일처(一夫一妻) 제도가 지닌 사랑의 사회학으로 나아가는 그 매개체가 된다고 할 수 있다.

4. 웃음으로 희화화된 가족갈등

각 시대는 그 시대에 적합한 여성상을 만들어낸다. 근대에서 현대를 거쳐오면서 여성들은 남자가 아닌 인간으로서의 자리를 잡게 된다. 지금까지 우리는 조선후기 사설시조에 나타난 주부들의 성담론과 가족간의 애정갈등을 중점적으로 살펴보았다. 가정은 남녀의 결혼에 의해 성립되고, 개인의 욕구를 가장 잘 정상적으로 충족할 수 있는 장이라 할 수 있다. 사람은 가정에 태어나 성장하고 결혼함으로써 다시 새로운 가정을 건설하는 보편적인 길을 걷게 된다. 21세기의 중반을 달려가는 우리나라 현대의 가정에서는 가장보다도 주부의 역할이 더 중요한 시기가 되었다고 한다.

논의의 출발점이 되는 사설시조에 나타난 조선시대 주부의 성담론은 지금까지 우리가 살펴본 내용을 통해서 상당히 자유로웠음을 확인할 수 있다. 시어머니가 며느리의 불륜까지도 허용하는 대리만족의 성담론은 거의 성의 해방에 가까운 수준이라고도 할 수 있다. 시어머니와 처첩간의 갈등을 표현하면서 사설시조의 화자로 등장한 주부는 성담론을 통해서 문제가 된 갈등을 희극화시켜 웃음을 유발시키고 있다. 이러한 유형의 사설시조는 지금까지의 연구와는 다르게 역동적이고 기지가 넘치는 삶을 살아가는 여성화자를 등장시키고 있다는 점에서 주목할 만하다. 사설시조에 나타난 주부로서의 성담론에 강한 여성화자의 모습은 18세기 이후 우리 사회에 집중적으로 등장한 열녀의 이미지와는 상반된 모습을 보여주고 있다. 사설시조에는 발랄하고 생기가 넘치며 어떠한 어려움도 웃음으로 극복하는 주부의 모습을 통해서 성적인 자유를 마음껏 표현하고 있다. 사설시조에 나타난 주부의 성욕은 다만 어머니라는 이름으로 철저하게 위장된 생식을 위한 성욕이 아니라, 쾌락을 위한 성욕의 표현이 등장하고 그를 웃음으로 표출하는 기법을 보여주고 있어 선구적이라 할 수 있다.

21세기 우리 사회가 황폐화되고 파편화될수록 가정의 기능이 강조되고 따라서 여성인 주부의 역할이 증대되어 간다고 할 수 있다. 조선시대 사설시조에 나타난 주부들의 성담론을 통해서 우리는 주부들의 재치있는 웃음을 살펴보았다. 사설시조에 나타난 화자로서의 주부들의 성의식은 가족 간의 갈등을 희화시키고 노골적으로 불륜을 폭로하면서 억압된 성욕(性欲)을 대리 체험하게 하는 역할을 하고 있다. 즉, 사설시조에 나타난 화자로서의 주부는 성적인 불륜과 가족간의 갈등 그리고 처첩과의 갈등을 기지의 웃음으로 희화화시키는 발랄하고 자유로운 여성상을 보여주고 있다.

우리는 지난 수십 년간에 산업화, 도시화, 서구화 등의 영향으로 급격한 사회변동을 경험하고 있으며 가족의 형태도 이와 같은 변화의 물결에 휩싸이고 있다. 이러한 시기에 여성인 주부의 역할은 더욱 강조되고 있으며 지혜로운 웃음으로 가정에 행복을 가져다주는 모습을 주부가 보여주어야 할 것이다.

웃음과 해학을 매개로 한
사설시조의 애정생활

1. 발랄한 웃음으로서의 담론

사설시조의 미학은 웃음의 표출이다. 웃음은 해학(諧謔)의 일종으로서 인생에 행복을 가져다 준다. 해학(諧謔, 영어: humor)은 익살스럽고도 품위가 있는 말이나 행동이다. 해학이나 웃음은 생각하고 있던 말과 실제로 나온 말 사이에서의 불일치를 갑자기 파악했을 때 생기게 되는데, 이러한 불일치는 사람들이 일반적으로 예상하고 있는 대화의 전제를 부정하거나, 대화의 원리가 되는 기본적인 격식을 위배하는 것으로부터 생겨난다.[1] 그리하여 혹자는 해학의 웃음과 유발의 원리를 의외성과 비예측성을 유발하는 상황에서 일어나는 불일치로 파악하고 있다. 이처럼 해학과 웃음 유발의 원리는 의외성과 비예측성에 있다고 할 수 있는데 해학에서는 생산자가 만들어 낼 이야기의 결과를 예측하지 못한 수용자가 허를 찔리게 되는 과정에서 웃음은 발생한다. 그래서 해학은 남을 웃기기 위해서 의도적으로

---

1 이상섭, 『문학비평용어사전』, 민음사, 2001 참조.; 구현정, 「유머담화의 구조와 생성기제」, 『한글』, 2000, 159-184쪽 참조.

만들어내는 일정한 구조를 갖춘 이야기라고 할 수 있다.[2]

남녀간의 가정생활과 애정생활에서 웃음과 즐거움은 중요한 역할을 한다. 인생에서 행복한 삶은 사설시조가 유행했던 조선시대나 21세기 문화콘텐츠가 범람하는 오늘날에도 마찬가지로 중요하다고 할 수 있다. 조선시대 남녀간의 애정생활을 반영하고 있는 사설시조에서는 남녀간의 애정 행위와 성적인 쾌락을 과시적으로 표출하여 웃음을 유발하는 경우가 흔히 있다.

여기서는 남녀간의 애정행위나 불륜의 과감한 묘사를 나타내고 있는 사설시조들 중에서 화자가 남자이거나 기녀(妓女) 그리고 각씨(閣氏) 등을 제외하고 순수하게 가정의 주부(主婦)로 설정되어 있는 작품을 선택하여 그 애정생활을 살펴보고자 한다. 사설시조의 작품 중에서 주부가 불륜의 애정행위를 매개로 하여 성담론을 이끌어가는 작품은 조선후기 주부들의 성담론의 영역을 새롭게 설정하는 계기가 될 수 있다.

사설시조는 18세기 조선후기로 넘어오면서 작품의 수가 증가하고 그 제재가 다양해지면서 사회적인 문제의식이 확장되는 추세를 보여주며 부부간의 애정뿐만 아니라 부부관계를 초월한 성담론을 등장시키고 있는데, 이러한 경향의 사설시조는 오늘날 21세기의 사회에서도 많은 시사점을 줄 수 있는 내용이라 할 수 있다. 특히 18세기 이후의 사설시조에서는 주부들이 남편이 아닌 다른 남자와 불륜의 애정행위를 갈구하는 작품들이 등장하고 있어, 21세기 현재 우리사회에서 일어나는 새로운 애정 생활을 추구하는 환경 변화와 비

---

2 손세모돌, 「유머로 보는 한국사회」, 『한민족문화연구』, 235-249쪽 참조.

숫한 상황이라 할 수 있다. 사설시조의 성담론은 현대사회에서 일어날 수 있는 부부간의 애정갈등을 미리 예측하고 방지하는 측면에서 사설시조의 성담론은 현대 우리 사회의 부부간의 애정갈등을 해소하는 기준점이 될 수 있어서 주목을 받고 있다.

주부란 한 가정을 이루며 살고 있는 가장의 아내로서 여성을 의미하는 말이라고 할 수 있다. 조선후기에 유행한 사설시조에는 가정의 주부가 주제나 소재가 되어 그 생활하는 모습을 사실적으로 보여주는 작품이 종종 있다. 사설시조에 나타난 여성화자는 크게 기녀(妓女), 각씨(閣氏), 주부(主婦) 등으로 나누어질 수 있다.[3] 사설시조에 등장한 화자가 가정의 주부인 경우라 할지라도 가장의 품을 벗어나서 다른 남자와 애정생활을 추구하는 모습을 표현하는 작품이 있어 주목할 수 있다. 사설시조에 나타난 주부들이 가정을 초월한 애정행위를 찾아가는 작업은 작품속에서 화자가 성담론에서 기존의 통념을 깨면서 뒤집고 풍자하는 자유로운 주부의 모습을 통해서 가능하다고 할 수 있다. 조선시대 사설시조에 나타난 애정행위와 관련된 주부의 성담론[4]은 애정행위의 과감한 묘사와 그 폭로로 이어지는 경우와 일탈된 애정생활을 통한 웃음의 표출을 추구하는 경우[5]로 나누어 살펴볼 수 있다.

---

3 류해춘, 「사설시조에 나타난 시적화자의 유형과 그 특성」, 『어문학』 52집, 한국어문회학회, 1990, 331-332쪽.

4 김종환, 「사설시조의 서술구조와 현실인식의 포출양상 연구」, 경북대대학원(박사), 1994.; 박애경, 「조선후기 시조의 통속화과정과 양상연구」, 연세대대학원(박사), 1997.

5 류해춘, 「21세기의 화두, 사설시조에 나타난 주부의 성담론(1)」, 『시조세계』 19집, 2005, 132-145쪽.; _____, 「21세기의 화두, 사설시조에 나타난 주부의 성담론(2)」, 『시조세계』 20집, 2005, 133-147쪽.

이러한 유형의 사설시조[6]는 지금까지 논의한 조선시대의 열녀(烈女)나 현모양처(賢母良妻)를 꿈꾸었던 주부들의 삶의 모습과는 상반되게 불륜을 과감하게 저지르는 주부들의 모습을 등장시키고 있다는 점에서 새로운 애정담론의 유형으로 등장하고 있다. 이처럼 과감하게 불륜을 노래하고 있는 사설시조의 성담론은 18세기 이후 우리 사회에 집중적으로 등장하는 열녀의 이미지와는 상반된 모습을 보여주고 있다. 사설시조에 나타난 주부의 성담론은 다만 어머니라는 이름으로 철저하게 위장된 종족번식의 성담론이 아니라 쾌락을 위한 성욕의 표현으로 그 의미가 주어진다. 이러한 측면의 표현은 남녀 간의 애정담론을 웃음으로 승화시키는 발랄함을 보여주고 있어 오늘날 현대인들의 성담론에도 많은 시사점을 준다고 할 수 있다.

2. 일탈된 애정생활을 통한 웃음의 표출

오늘날의 가정에서도 주부가 남편과 가정생활을 꾸려가면서 애정의 욕구를 충족하지 못해서 갈등을 일으키는 경우가 종종 있다. 조선후기 사설시조에서도 부부가 가정생활을 하면서 성적인 문제로 인하여 일어난 갈등을 희화적으로 표현하고 있는 작품이 있다. 21세기 현대 주부들의 발랄하고 열린 사랑의 담론처럼, 조선후기의 사설시조의 담론에서도 주부들의 자유로운 애정생활을 표현하는 담론이 있어

---

6 고정옥, 『고장시조선주』, 정음사, 1949.; 김학성, 「사설시조의 작가층」, 『한국고시가의 거시적탐구』, 집문당, 1997.; 김흥규 역주, 『사설시조』, 고려대민족문화연구소, 1993.; 신은경, 「사설시조의 시학연구」, 성강대대학원(박사), 1988.; 조규익, 『만횡청류』, 박이정, 1999.

오늘날의 우리들이 구체적으로 검토하면서 살펴볼 필요가 있다.
　다음의 사설시조는 한 가정의 주부와 외간 남자가 서로 일탈된
애정생활을 대화체로 표현하여 조선후기의 애정생활의 풍속도를
그림처럼 묘사하고 있다.

　　니르랴 보쟈 니르랴 보쟈 내아니 니르랴 네 남진 ᄃᆞ려

　　거짓 거스로 물 깃는 쳬 ᄒᆞ고

　　통으란 나리와 우물젼에 노코

　　쏘아리 버셔 통조지에 걸고

　　건넌 집 쟈근 金書房을 눈기야 불러 ᄂᆡ여

　　두 손목 마조 덥셕 쥐고 슈근슈근 말ᄒᆞ다가

　　삼밧으로 드러가셔 므스일 ᄒᆞ던지

　　존삼은 쓰러지고 굴근 삼대 ᄠᅳᆺ만 나마

　　우즑우즑 ᄒᆞ더라 ᄒᆞ고

　　ᄂᆡ아니 니르랴 네남진 ᄃᆞ려

　　져 아희 입이 보도로와 거즛말 마라스랴

　　우리ᄂᆞᆫ ᄆᆞ을 지서미라 실삼 조금 키더니라

〈현대역〉

　　이르랴 보쟈 이르랴 보쟈 내 아니 이르랴 네 남편에게

　　거짓 것으로 물 긷는 체하고

　　물통을 내려서 우물가에 놓고

　　또아리 벗어 통의 손잡이에 걸고

　　건너 집 작은 김서방을 눈짓해 불러내어

두 손목 마주 덥석 쥐고 수군수군 말하다가
삼밭으로 들어가서 무슨 일 하던지
잔삼은 쓰러지고 굵은 삼대 끝만 남아
우줄우줄 하더라 하고
내 아니 이르랴 네 남편에게
저아이 입이 보드라워 거짓말 말아스라
우리는 마을 지어미라 실삼 조금 캐더이다

진본 청구영언(珍本 靑丘永言)[7]

부부간의 애정갈등은 항상 존재한다고 할 수 있다. 결혼을 할 때에 대부분의 사람들은 부푼 기대와 꿈을 가지고 결혼한다. 누구나 행복해지리라는 기대뿐만 아니라 행복한 삶에 대한 확신을 가지고 결혼을 한다. 하지만 부부의 애정관계도 시간이 지나감에 따라 그 갈등의 요소는 다양하게 나타날 수 있다. 이 작품의 초장에서는 '이르랴 보자'의 반복을 통해서 상대자인 주부의 잘못된 만남이 그녀의 남편에게 심각할 수 있음을 예고하고 있다.

아마도 주부인 아내가 남편에게 큰 잘못을 저지른 것 같다. 이 작품을 끝까지 읽어보면 초장에 등장하는 발화자는 어린아이로 설정되어 있다. 사설시조의 작품에서 발화자로 어린아이를 등장시켜 주부들의 불합리하고 무분별적인 성욕에 대하여 고발하는 경우는 드물다고 할 수 있다. 순수함을 지닌 어린아이가 화자로 등장하여 이웃하고 있는 주부의 비리를 발설하고 애정관계를 묘사하는 것은

---

7 김흥규 역주, 『사설시조』, 고려대민족문화연구소, 1993, 165번 참조.

주부의 불륜이라는 문제점을 더욱 예리하게 부각시키는 기능을 함
과 동시에 우리 독자들을 믿도록 속이기 위한 하나의 수단일 수 있
다. 또한 어린아이가 이웃한 여인의 불륜을 발설하고 애정관계를
설명하는 것은 우리 독자들에게 웃음을 유발시켜 당황하게 하고 긴
장하게 할 수 있다. 왜냐하면 이 작품에 등장하는 주부인 여성화자
가 가정의 윤리적 질서를 파괴하는 사람으로 독자들은 단정할 수
있기 때문이다. 문제의 인물로 부각된 주부인 여성화자의 불륜과
그 비행은 중장에서 어린아이로 설정된 화자가 설명하는 내용으로
드러나게 된다.

　이 작품의 중장에 등장하는 화자는 주부의 행위를 시간의 흐름에
따라 서술하여 그 남편에게 주부의 잘못을 고발하고자 한다. 그 내
용은 주부가 거짓으로 물을 긷는 체하고 우물에 가서 물동이를 내
려놓고, 건너집의 김서방을 눈짓으로 불러내어 삼밭으로 들어가서
애정행위를 하는데, 잔삼은 넘어지고 굵은 삼은 끝이 춤을 춘다고
묘사하고 있다. 이처럼 화자는 주부와 김서방의 불륜을 시간의 흐
름에 따라 순차적으로 묘사하고 있어 사실성을 더해주고 있다. 화
자는 이처럼 사건을 사실적으로 이야기를 만들고 꾸며서 주부의 남
편에게 이르겠다고 협박하고 있다.

　종장에 등장한 주부인 화자는 고분고분하게 중장에서 화자인 어
린아이가 주장하는 내용을 그대로 받아들이고 인정하는 그런 유형
의 인물이 아니다. 종장에서 주부는 초장과 중장에서 어린아이인
화자가 등장하여 자신의 잘못된 불륜의 상황을 고발하는 내용을 아
이가 잘못 판단하여 일어난 거짓된 사건이라고 주장하고 있다. 초
장과 중장에서 일어난 사건의 상황을 뒤집어버리는 담론을 주부가

종장에서 펼쳐낸다.

　종장의 화자인 주부는 자신과 함께 삼밭에서 일을 한 사람은 '우리는 마을의 지어미'라는 문구를 통해서 남성이 아니라 이웃집 여성이라고 주장하고 있다. 이러한 진술에 접하게 되면 주부의 불륜은 사실인지 아닌지 판단하기 어려운 상황에 빠지게 된다. 초중장의 화자와 종장의 화자가 주고받는 이러한 담론에서 주부가 행한 담론을 통해서 주부가 행한 불륜과 관련된 애정생활의 심각성은 풀어지고, 희극성은 배가 되어 연행현장의 청자들은 야릇한 웃음을 지을 수 있게 된다.

　일반적으로 가정에서 부부생활의 유지는 건전한 애정관계에 의해서 강하게 통제된다고 할 수 있다. 한 가정에서 부부의 건전한 애정생활은 가정에서 가장 기초적인 것이라 할 수 있다. 한 남자와 한 여자가 애정을 바탕으로 하여 맺어지는 성생활은 상대에 대한 독점적 소유를 통해서만 충족될 수 있다. 이 작품에서는 애정에 대한 독점적 소유가 깨어지는 상황을 가정하여 어린아이인 화자를 등장시켜 주부의 불륜을 사실적으로 묘사하고 있지만, 불륜의 당사자인 주부가 화자로 등장하여 사실이 아닌 거짓말이라고 해명을 하고 있어 독자들에게 희극적인 해학성을 제공하고 있다.

　다음의 작품에서는 주부인 여성화자가 애정을 성취하기 위해서 적극적으로 행동하고 있다는 점에서 범상치 않는 모습을 보여주고 있어 앞의 작품과는 비교가 될 수 있다. 주부인 여성화자는 시아버지의 눈을 피해 다른 남자와 사랑을 불태우고 있어 독자들을 긴장하게 만든다. 이처럼 사설시조에 등장하는 여성화자로서 주부는 정상적인 현모양처의 아내라기보다는 불량한 성품을 지닌 아내이자

주부로 등장하여 조선시대의 억눌린 여성의 성적 욕구를 대리적으
로 만족시켜주는 역할을 하고 있다.

스람마다 못할 것은 남의 님 쇠다 정(情) 드러놋코
말못하니 이연하고 통스정 못ᄒ니 나죽킷구나
쏫이라고 싯어를 내며 닙히라고 홀터를 뇌며
가지라고 썩거를 ᄂ며
히동쳥 보라미라고 제밥을 가지고 굿여를 낼가
다만 추파(秋波) 여러 번에 남의 님을 후려를 내여
집신 간발ᄒ고 안인 밤즁에
월장도쥬ᄒ야 담넘어 갈제
쇠익비 귀먹쟁이 잡녀석은 남의 속뇌는 조금도 모로고
안인 밤즁에 밤스람 왔다고 소리를 칠제
요 뇌 간장이 다 녹는 구나
춤으로 네 모양 그리워셔 나 못살게네

〈현대역〉
사람마다 못할 것은 남의 임 꼬셔 정 들여 놓고
말 못하니 애연하고 통사정 못하니 나죽겠구나
꽃이라고 뜯어를 내며 잎이라고 훑어를 내며
가지라고 꺾어를 내며
해동청 보라매라고 제 밥을 가지고 꼬여를 낼가
다만 추파 여러 번에 남의 님을 후려를 내어
짚신 감발하고 아닌 밤중에

담 타고 달아나려 담 넘어 갈 제

시아비 귀먹쟁이 잡녀석은

남의 속내는 조금도 모르고

아닌 밤중에 밤사람 왔다고 소리를 칠 제

요 내 간장이 다 녹는구나

참으로 네 모양 그리워서 나 못 살겠네

고대본 악부(高大本 樂府)[8]

위의 작품에 등장하는 여성화자는 시아버지와 함께 사는 주부로서 그 언어의 구사에서부터 기존의 윤리관념을 완전히 벗어나 있다. 아마도 연행의 현장에서 전문가객이 주부인 여성화자의 위치를 대신하여 연행하는 모습으로 추측할 수 있다. 여성화자인 주부는 불륜을 저지르기 위해서 등장인물인 남의 연인에게 적극적으로 구애하여 정이 들었다고 한다. 이러한 사랑은 주부인 여성화자가 적극적으로 샛서방과 불륜의 사랑을 지키기 위해서 노력하는 불륜의 모습을 사실적으로 표현하고 있다. 주부인 여성화자는 귀머거리인 시아버지의 눈을 피해서 담을 넘어 샛서방을 만나기 위해서 도주하고 있다. 하지만 시아버지가 도둑이 왔다고 소리치는 해학적인 상황을 연출하여 독자들에게 웃음을 유발하게 한다.

주부는 작품 내에서 불륜을 저지르는 주체가 되지만 가정에서 시아버지와의 갈등은 희화화된 웃음으로 처리하여 해학적인 모습을 보여주고 있다. 이 시조에서는 가객들이 유흥의 현장에서 사설시조

---

8 심재완, 『역대시조전서』, 세종문화사, 1972, 1376번 참조.

를 연희하면서 조선시대 주부들이 남편이 아닌 다른 남자들과 불륜으로 만나 일탈된 사랑을 즐기기 위해서 노력하는 모습을 해학적으로 표현하고 있다. 이러한 모습은 조선시대의 주부들도 남편 아닌 다른 남자들과 불륜으로 만나서 일탈된 사랑을 즐기고 싶어하는 마음을 대리만족으로 표현하거나 실제로 일탈된 사랑을 즐기면서 살아가는 일이 있었던 것 같다. 이러한 사랑의 경우에는 남편뿐만 아니라 가족 간의 갈등이 늘 상습화되는 경우라고 할 수 있다.

이 작품의 초장에서 주부는 사람으로서 못할 일이 남의 임을 사랑하는 일이라고 한다. 주부는 자신의 심정을 말도 못하고 통사정도 하기 어려워 죽겠다고 한다. 주부인 여성화자는 성적 욕구를 억제하지 못해서 몸부림치면서 불륜의 상대자를 찾고 있었던 것처럼 묘사되고 있다. 사설시조의 장르가 질펀한 연회의 현장에서 가창되고 노래될 때, 참석자들의 흥미를 돋우기 위해서 가창자인 가객은 주부인 여성화자를 등장시키고, 성적인 상대방에게 적극적인 구애행동, 즉 과장하면서 일탈하는 행동을 연출하도록 하였을 것이다. 이러한 상황이 진행되면 사설시조의 유흥현장은 인간이 지닌 본연의 질펀한 성에 관한 묘사를 통해서 노골적인 애정의 묘사를 자유롭게 발설하였다고 할 수 있다.

중장에서 주부인 여성화자는 불륜의 상대방을 유혹하여 자신의 성욕을 추구하는 적극적인 모습을 아무런 주저함이 없이 드러내고 있다. 여성화자인 주부는 애정의 간절한 욕구를 식물과 동물 그리고 사람의 행위 등으로 비유하여 나열하다가 심지어는 시아버지에게 잡녀석이라는 욕설까지 퍼부으면서 자신의 성욕을 위해서 불륜을 저지르는 파격적이고 일탈된 행동을 하고 있다. 여기서 희극적인 인물인 시아버지는 며느리의 월장도주(越墻逃走)를 도둑이 들었다고 소리를 치고 있다. 그러면서 여성화자의 도주는 실패로 끝나는 해학적인 상황을 연출하게 된다. 이때 희극적인 인물인 시아버지는 며느리의 불륜을 방해하는 인물이 되어 며느리와 갈등을 일으키게 된다.

종장에서 주부인 여성화자는 사랑하는 임이 그리워서 못살겠다고 한다. 그래서 며느리는 시아버지를 따돌리고 불륜의 사랑을 성취하고자 하는 간절한 소망을 사실적으로 표현하고 있다. 이와같은 불륜의 행위는 사랑의 일탈행위로 한 남성과 한 여성의 사이에서 일어나는 은밀한 일이지만 인간은 누구든지 은밀한 사랑을 소망한다고 할 수 있다. 이러한 묘사는 세기의 아름다운 사랑을 꿈꾸는 우리 사회의 남성과 여성의 관계를 거울처럼 반영하다고 할 수 있다.

우리가 진정으로 문학에서 이루어지는 사랑의 일탈행위를 이해하고자 한다면 우리가 살아가는 사회의 애정문제와 남성과 여성의 실체를 파악하는 일부터 시작해야 할 것이다. 앞의 작품은 조선후기에 여성인 주부를 매개로 하여 여성의 불륜을 전면에 부각시키고 있다는 점에서 주목할 수 있다.

앞의 사설시조에서는 기존의 윤리적 관념에서 벗어난 주부를 작품의 중요한 화자로 등장시켜 불륜의 애정행위를 묘사하여 표출하고 있다. 이러한 행동은 성담론의 주체인 주부가 사실적으로 재현하였다기보다는 전문가객들이 사설시조의 연행현장에서 가상의 상황으로 재현해내면서 상황을 묘사하는 것이다. 하지만 사설시조에 나타난 여성의 불륜과 관련된 성담론은 조선시대 여성들의 억눌린 성적 욕망을 풀어낸다는 점에서는 나름대로 큰 역할을 했다고 할

수 있다. 조선시대 현실과 규범에서는 성담론을 제도적으로 은폐하
였으나 사설시조의 연행현장에서는 조선시대 여성들의 개방된 애
정담론을 공론의 장으로 이끌어내고 있다. 18세기 이후 사설시조의
연행현장에서는 숨기고 은폐하였던 남녀간의 애정담론을 웃음이
질펀한 해학의 힘을 받아 공론의 장소로 이끌어내었다는 사실만으
로도 21세기 현대를 살아가는 우리들에게 시사하고 의미하는 점은
크다고 할 수 있다.

3. 불륜의 과감한 묘사와 그 폭로

오늘날에는 잘못된 애정행위에 관한 담론이 대중매체에 넘쳐 흐른
다. 선정적인 사생활의 폭로에서 성의식의 조사라는 점잖은 탈을
쓴 실태조사에 이르기까지 인터넷과 대중매체는 성담론에 관한 이야
기로 홍수를 이룬다. 21세기인 현대사회에서도 인터넷과 대중매체를
통해서 애정 행위의 과감한 묘사와 그 불륜의 대상물이 종종 화제가
되고 있다. 현재 유행하는 영화나 만화도 애정생활의 일탈과 불륜의
이야기가 주된 내용이 되고 있다. 상품의 광고도 상품을 홍보하기
위해서 남녀의 애정생활을 덧입혀서 판매하고 있다고 한다.

조선후기 사설시조에는 주부가 화자로 설정되어 있으며 불륜의
애정행위를 노골적으로 묘사하는 경우가 있다. 여기에 등장한 주부
는 성욕의 주체로 혹은 그 대상으로 설정된 경우가 많다. 우리의
고전문학인 사설시조에서는 주부를 생동하는 인격의 주체로 표현
하기보다는 오로지 성욕에 편향된 욕망의 주체로 설정하고 있는 경

우도 있다. 이런 측면에서 조선후기 남녀의 애정생활에 관한 대리
만족으로서 사설시조라는 갈래가 활용되었을 가능성이 크다고 할
수 있다.

가정생활을 영위함에 있어 물질의 풍요로움이 반드시 필요한 것
이지만 그에 못지않게 성욕을 충족시켜주는 남편도 필요하다고 할
수 있다. 사설시조에 나타난 이러한 성담론은 조선후기 주부들도
금전과 정신보다도 육체적 욕망에 편향된 성담론을 피해갈 수 없었
음을 보여주는 증거라 할 수 있다.

다음의 작품에서는 주부들이 성적 상대자를 선택하는 기준이나
주부들이 체험한 애정 생활의 한 단면을 투사하면서 대리만족의 상
황을 묘사하고 있다.

　　　　밋남진 그 놈 자총(紫驄)[9] 벙거지 쓴 놈
　　　　소대 서방(書房) 그 놈은 삿벙거지 쓴 놈 그 놈
　　　　밋남진 그 놈 자총(紫驄) 벙거지 쓴 놈 그 놈은
　　　　다뷘 논에 져어이로되
　　　　밤 中만 삿벙거지 쓴 놈 보면 실별본 듯 ᄒ여라

　　　　〈현대역〉
　　　　본남편 그 놈 보랏빛 말총 벙거지 쓴 놈
　　　　샛서방 그 놈은 삿갓벙거지 쓴 놈 그 놈
　　　　본남편 그 놈 자주색 말총 벙거지 쓴 놈은

---

9 갈기와 꼬리가 자주색인 흰말로 명마를 상징함.

다 빈 논에 허수아비로다

밤중만 삿갓벙거지 쓴 놈 보면 샛별 본 듯하여라

육당본 청구영언(六堂本 靑丘永言)¹⁰

위의 사설시조는 남편이 있는 여인이 샛서방과의 성관계를 가진 후에 성기의 모양과 성행위 이후의 감정을 비교하여 묘사한 것이다. 초장에서 화자는 '남편의 성기를 말총 벙거지 쓴 놈'에 비유하고, 샛서방의 성기를 '삿갓 벙거지 쓴 놈 그 놈'에 비유하고 있다. 남편의 성기는 보라색의 말총, 즉 보라색을 띤 말의 갈기나 털처럼 화려하고 귀한 빛깔을 지녔으나 실용성이 부족한 모습으로 묘사하고 있으며, 샛서방의 성기는 삿갓처럼 아주 크고 훌륭하게 묘사하고 있다. 잘 모르긴 해도 자총 벙거지는 낡아서 후줄근해진 꼴일 게고, 삿벙거지는 싱글럽고 단단한 꼴일 테지만 성기묘사를 이같이 노골적으로 표현한 것은 사설시조 이외에는 보기가 드물다고 할 수 있다. 이렇게 성생활에서 여성이 주도권을 쥐고 능동적이고 적극적인 자세를 취하고 있음을 표현하고 있는 내용은 한국에서 나타난 조선후기 페미니즘의 새로운 국면을 대변한다고 할 수 있다.¹¹

중장에서 여성화자는 남편과의 애정행위를 추수한 뒤의 허수아비처럼 허무한 모습으로 만족하지 못한 상황으로 묘사하고 있다. 남편의 성기는 겉은 화려해 보이나 쓸모없는 존재이다. 이런 측면의 묘사는 화자가 지닌 남편과의 애정행위에 대한 불만을 표출하면서 남편의 사랑에 대해서 못마땅해하는 모습을 보여주고 있다. 이

---

10 심재완, 『역대시조전서』, 세종문화사, 1972, 1104번 참조.

11 김열규, 『왜 사냐면, 웃지요』, 궁리, 2003, 212쪽 참조.

러한 주부의 모습을 노래하는 전문가객의 행동으로 연행현장의 관객들은 야릇한 웃음을 자아내며 마음껏 웃을 수 있다.

종장에서 화자는 밤에 샛서방의 물건을 보면 샛별을 본 듯하다고 하면서 희망을 품고 신비롭게 여기고 있다. 이 사설시조에서는 샛서방과의 성관계가 남편과의 애정생활보다 월등하게 만족한 것으로 묘사하여 주부가 고백하는 불륜의 이야기에 사실적인 흥미를 더한다고 할 수 있다.

이 작품에서 화자인 주부는 인격적인 주체로 남편과 샛서방을 비교하는 것이 아니라 다만 성행위의 대상자로 남성을 평가하고 있다. 이처럼 사설시조에는 성욕에 편향되고 왜곡된 욕망의 주체로 부각된 주부가 등장하여, 주부는 오로지 샛서방을 만나 근사한 잠자리를 가지는 일에 초점이 있는 것처럼 표현하고 있다. 이러한 여성의 형상화는 사설시조가 불려지는 질탕한 유흥의 현장에서 인간이 지닌 원초적 본능인 애정에 대한 유흥현장의 수요를 창출하기 위함이었으며, 대리적이고 투사적인 방법으로 유흥의 현장에서 인기있는 성담론을 통해 연행현장의 흥미를 풍부하게 제공하는 내용으로 표출했다고 할 수 있다.

다음의 사설시조는 주부인 여성화자가 직접체험한 애정행위의 경험을 사실적으로 묘사하고 있어 중요시되는 작품이다. 작품에서 화자는 "시앗 샘을 하지 않는다."라는 구절을 통해서 부부사이의 애정행위를 기피하는 것처럼 위장하고 있다. 이 작품은 오늘날 우리 사회에서도 다양한 계층의 사람들이 특정인의 사진과 애정행각 등의 동영상을 인터넷에 유포하여 사회문제를 일으키는 사건을 유추하게 한다.

얽고 검과 킈큰 구렛나롯 그것조차 길고 넙다

쟘지 아닌 놈 밤마다 빈에 올라

죠고만 구멍에 큰 연장 너허 두고 흘근 할젹 홀졔는

愛情은 킈니와 泰山이 덥누로는 듯

즌 放氣 소릐에 졋 먹던 힘이 다 쓰이노믜라

아므나 이 놈을 다려다가 百年 同住ᄒ고 永永 아니온들

어늬 갯들년이 싀앗 새옴 ᄒ리오

〈현대역〉

얼고 검고 키 큰 구렛나루 그것조차 길고 크다

젊지 않은 놈이 밤마다 배에 올라

조그만 구멍에 큰 연장 넣어 두고 흘근 할적 할 제는

애정은 커녕 태산이 덮누르는 듯

잔방귀 소리에 젖 먹던 힘이 다 쓰이는구나

아무나 이 놈을 데려다가 백년 같이 살고 영영 아니 온들

어느 개딸년이 시앗 샘을 하리오

진본 청구영언(珍本 靑丘永言)[12]

　위의 사설시조는 조선시대 부부의 애정행각을 사실적으로 보여
주는 한 단면으로 그 적나라하기가 현대사회의 각종 미디어나 인터
넷에 유포된 음란물과도 비교할 수 있는 내용이다.
　이 작품은 부부간의 애정행위를 묘사하는데 남녀의 성기 모습을

등장시켜서 구체적으로 묘사하고 있다. 표면적으로는 주부인 여성 화자가 남녀간의 애정행위를 싫어하는 것처럼 묘사되어 있으나, 사실은 부부간에 애정행위를 즐겨하면서 만족을 추구하는 모습을 반어적이며 역설적으로 표현하고 있다. 화자는 외면적으로는 여성과 남성의 애정행위를 반어적인 어조로 표현하면서 관찰하는 듯한 태도를 보이지만, 내면적으로는 부적절한 애정행위를 치열하게 즐기면서 젖먹던 힘까지 다 쓰고 있으며, 자신도 모르게 생리현상인 방귀가 생성될 정도로 완벽한 육체적인 결합의 성행위를 완성했다고 할 수 있다. 여기서 여성화자가 욕설에 가까운 말로 시앗샘을 하지 않겠다는 것은 완벽한 남녀간의 성행위에서 오는 행복을 반어적으로 표현하고 있는 것이다.

이 작품의 초장에서 여성화자는 구렛나루인 귀밑에서 턱까지 잇달아 난 수염을 통해 남자의 성기를 사실적으로 묘사하고 있다. 남성의 성기인 연장이 아주 얽고 검고 길고 크다고 과시하고 있다. 중장에서 여성화자는 남자가 정력이 왕성하여 밤마다 애정행위를 하고 있어 귀찮은 듯 표현하지만 그 반대로 즐거움에 흥겨운 반어적 표현이라고 할 수 있다. 여기서는 여성의 작은 성기에 남성의 큰 연장을 사용하여 완벽한 남녀의 애정행위를 수행하는 모습을 묘사하고 있다. 남녀의 조화롭고 완벽한 조건에서 이루어지는 성행위는 '젖먹던 힘'까지 써야 하는 즐겁고 혼신의 힘을 다하는 완벽한 애정행위라 할 수 있다. 하지만 여성화자인 주부는 성행위가 완벽했음을 사실적으로 드러내지 못하고 마음 속으로 노래하면서 반어적이면서 역설적으로 표현하고 있다. 이러한 표현은 주부가 성욕을 직접적으로 드러내지 말아야 한다는 전통적인 애정관의 모습을 숨기면서 역동적이고 살아있는 남녀의 애정행위의 만족감을 표현하기 위한 또다른 장치였다고 할 수 있다.

이 작품의 종장에서 남성은 '놈'이 되고, 여성은 '개딸년'이 되어 남성과 여성의 모습은 비속어로 표현하고 있다. 이런 비속어의 표현은 여성화자가 상대의 남성을 완벽하게 신임을 하는 내용이다. 그래서 다른 여성이 이 남성을 데려가서 백년이나 함께 살아도 찾지 않겠다고 반어적이고 역설적으로 표출하고 있다. 이러한 비속어를 사용하여 성욕과 애정의 만족감을 표현하는 화자는 실제로는 하루라도 이 남성이 없으면 살아가지 못하겠다는 간절한 표현을 반어적으로 묘사하는 것이라고 할 수 있다.

그리고 이 작품에 등장하는 '연장', '구멍'과 같이 쉽게 남녀의 성기를 떠올리는 단어는 남성과 여성의 애정행위를 직설적인 어조로 표현하는데 큰 도움을 준다. 이러한 묘사는 생동적이고 적극적인 애정행위를 '연장'과 '구멍' 등의 단어를 통하여 더욱 직설적으로 표현하여 성행위의 현장을 입체적으로 묘사하여 주고 있다. '방귀', '놈', '개딸년' 등과 같은 비속어의 표현은 화자의 의도와는 상관없이 진지한 애정행위의 상황을 희극적 대상으로 전환시키고 있다. 이러한 걸죽한 언어와 비속어 등의 표현은 여성화자가 의도하고자 했던 부정적인 애정행위의 측면인 성행위의 고통과 시앗샘을 하지 않겠다는 반어적인 측면을 오히려 역설적으로 강조하는 심리를 드러내고 있다. 다시말하면 여성화자는 완벽하게 만족한 성생활을 위해서 남성과의 성생활을 즐기는 시앗샘을 심하게 하겠다는 반어적이고 역설적인 표현으로 독자에게 들리게 되는 것이다. 하지만 그 내용은 지나치게 애정행위의 사실적인 모습을 드러내고 희화화하

고 있어 성행위가 적나라하게 노출되고 있다는 점에서 많은 검토가
필요하다고 할 수 있다.

　이러한 사설시조에 나타난 애정행위의 묘사는 인간이 지닌 욕망
의 한 가운데에 존재하는 성욕을 다루고 있다는 점에서 그 의의를
찾을 수 있다. 애정의 노골적인 표현은 인간이 지닌 육체적 욕망을
불온시하는 종교적 엄숙주의와는 정면으로 맞서는 것으로 이념과
이성을 앞세운 조선후기 유교사회의 애정관습에 대하여 직접적으
로 저항하는 진보적인 애정관이라 할 수 있다. 사설시조에 표현된
애정행위는 쾌락을 위한 성담론이 위주가 되고 있다. 쾌락을 위한
성담론은 소모적이고 순간적인 것이라 할 수 있다. 하지만 성욕과
애정행위는 생명의 탄생을 예비하는 만큼 진지하고 생동감이 넘치
는 신비로운 행위라고 할 수 있다.

　그러나 사설시조의 애정행위에 대한 묘사는 진정한 애정이나 생
명력이 있는 애정을 추구하기 보다는 오락이거나 유흥의 관점으로
애정행위를 간주하고 있다. 이러한 점에서 사설시조가 유흥문화나
통속화된 대중예술의 산물이라는 점을 떨쳐버릴 수 없도록 만든다.

4. 대리만족과 욕망의 투사체

　지금까지 우리는 사설시조에 나타난 주부들의 성담론을 통해 애정
행위를 묘사하고 있는 작품들을 간략하게 살펴보았다. 애정은 가정을
영위하는 데 가장 중요한 요소라고 할 수 있고, 남녀의 결혼생활에서
도 중요한 역할을 한다고 할 수 있다. 21세기 우리는 지난 수십 년

간에 산업화, 도시화, 서구화 등의 영향으로 급격한 사회변동을 경험하고 있으며, 가족도 이와 같은 변화의 물결에 휩싸이고 있다. 이러한 시기에 조선후기 사설시조에 나타난 애정을 매개로 한 주부들의 성담론을 살펴보는 것은 시의적절한 일이라고 할 수 있다.

사설시조에 나타난 애정행위를 매개로 한 주부들의 성담론이라는 말은 현재 무너져가는 가족관계와 천민자본주의 그리고 성(性)산업에 노예가 되고 있는 현대인들에게 많은 관심을 끌기에 충분하다고 여겨진다. 조선시대 유교사회의 풍류방이나 유흥의 산물로 흥행한 사설시조에 담겨있는 주부의 모습은 유교적 질서가 확고했던 조선시대에도 여성이 가정 내에서 그 역할이 점차 변해가고 있었으며, 현대 여성들 못지않게 성담론이 자유롭고 발랄한 모습을 보여주고 있다.

이러한 사설시조에 나타난 애정행위와 관련된 여성의 성담론은 여성의 성적 억압을 상징적으로 해소하기 위한 욕망의 투사체이거나 혹은 대리만족이라는 기제로 여성의 성적 욕망을 다루었다고 보아야 할 것이다. 일반적으로 가정의 유지는 건전한 부부간의 애정에 의해서 강하게 통제된다고 할 수 있다. 한 남자와 한 여자가 애정을 바탕으로 하여 맺어지는 애정은 상대에 대한 독점적 소유를 통해서만 충족될 수 있다고 한다.

일탈된 애정생활을 통한 웃음의 표출을 담고 있는 사설시조에서는 조선후기에 여성인 주부를 매개로 하여 여성의 불륜을 전면에 부각시키고 있다는 점에서 주목할 수 있다. 기존의 윤리적 관점에서 벗어난 주부를 작품의 주요한 화자로 등장시켜 비정상적인 애정행위를 고백하는 행위는 성담론의 주체인 주부가 직접 사실적으로 표현하였다기보다는, 전문가객들이 사설시조를 연행하면서 가상의 상황을 상상적으로 재현하였다고 할 수 있다. 하지만 사설시조에 나타난 주부의 불륜과 관련된 성담론은 조선시대 주부들의 억눌린 성적 욕망을 풀어내는데 큰 역할을 했다.

애정행위의 과감한 묘사와 그 폭로를 노래하고 있는 사설시조에 서는 걸죽한 언어와 비속어 등의 표현으로 주부인 여성화자가 선택 했던 애정행위의 즐거움을 사실적으로 표현하여 독자들에게 보여 주고 있다. 그러나 지나친 애정행위의 묘사는 현대사회의 포르노처 럼 여성의 성을 희화화 시키는 관음증(觀淫症)에 가까운 모습으로 표 현되어 있어 문제가 될 수도 있다. 하지만 사설시조에 나타난 애정 행위의 묘사는 인간욕망의 한 가운데에 존재하는 성욕을 다루고 있 다는 점에서 그 의의를 찾을 수 있다.

성욕과 애정행위는 생명의 탄생을 예비하는 만큼 생동감이 넘치 는 신비로운 행위라고 할 수 있는데, 사설시조에 표현된 애정행위 는 쾌락을 위한 애정으로 소모적이고 일회적이며 통속화되어 있는 특성을 지니고 있다. 사설시조에 나타난 이러한 애정행위는 진지한 애정이나 생명력이 있는 애정을 추구하기보다는 오락적이거나 유 흥의 관점으로 애정행위를 간주하고 있다는 점에서 사설시조가 유 흥문화의 산물에 가깝다는 관점을 떨쳐버릴 수 없다.

그래도 조선시대의 현실과 규범, 그리고 제도적으로 은폐하였던 주부들의 성담론이 조선후기 사설시조라는 기저를 통해서 통속화 된 유흥문화의 산물로 발전하고 존재했다는 사실만으로도 다양한 성문화가 존재하지만 21세기 성(性)산업의 노예가 되고 있는 현대인 들에게 시사하는 점은 크다고 할 수 있다.

상행위를 매개로 한 사설시조의
성담론과 사랑타령

1. 상행위에 빗댄 사랑타령

사랑은 활동이다. 사랑은 감정이지만 관계는 계약이다. 사랑에 빠지는 것은 그저 일어날 수 있는 일이지만, 사랑하는 관계가 지속되기 위해서는 특정한 기술을 필요로 한다. 자본주의에서는 모든 일을 결정하는 요소로서 시장에서의 교환을 내세운다. 사랑을 관계로 설명하는 작업은 두 가지 중요한 은유의 함의를 지니고 있다.

첫째는 사랑은 우리의 사고에 의해 통제가 가능하여 우리는 사랑의 성공과 실패에 대하여 책임이 있다는 것이다. 둘째는 사랑은 시장거래와 흥정 전략에 취약한 하나의 상품이라는 사실이다. 이처럼 사랑에도 물건을 사고 파는 것과 마찬가지로 거래를 하는 활동이 존재한다고 할 수 있다.[1]

인간의 삶에서 물건을 사고파는 상행위는 아주 중요한 역할을 한다. 물건을 사고파는 일은 봉건시대인 조선시대나 21세기 과학기술

---

1 에리히 프롬(황문수 역), 『사랑의 기술』, 문예출판사, 1976, 148-153쪽 참조.

의 시대인 현재에도 인간의 삶에서 필수적인 요건이라 할 수 있다. 조선후기 우리 선조들의 삶을 반영하고 있는 사설시조에서는 상행위에 빗댄 장사치와 주부들의 성담론이 등장하여, 당시 여성들이 장사치를 상대로 성담론을 주고받는 모습이 등장하여 주목을 받고 있다. 당시 여성화자가 장사치를 상대로 성담론을 행하는 작품은 조선후기의 애정담론을 유추하게 하는 중요한 자료이다. 여기서는 상행위에 빗댄 주부들의 육담과 외설담을 주제로 하는 사설시조를 분석하여 당시 여성들이 지닌 성의식의 모습을 검토하고자 한다.

전통적으로 주부란 한 가정을 이루고 있으며 가장의 아내로서 여성을 의미하는 단어라고 할 수 있다. 조선후기 사설시조에는 가정의 주부가 성담론의 주체가 되어 자신의 애정생활을 사실적으로 보여주는 작품이 종종 있다. 이런 사설시조에 등장하는 여성화자는 크게 기녀(妓女), 각씨(閣氏), 주부(主婦) 등으로 나누어 질 수 있다. 이러한 상행위에 빗댄 장사치와 성놀음을 노래하는 사설시조에는 '댁들에(각씨네) ~'로 시작하는 대화체 유형도 있고, '남편과 ○○장사'가 등장하는 독백체 유형이 있는데, 이들 작품은 여성화자[2]를 등장시켜 남편과의 애정의 굴레를 벗어나 외간 남자인 장사치와의 애정담론인 사랑타령을 노래하고 있어 주목할 수 있다.

사설시조에 나타난 주부들의 사랑타령을 찾아내는 작업은 작품 속에서 여성화자가 사랑타령에 적극적인 주부, 즉 성담론에 대한 기존의 관념을 뒤집어 엎어버리는 화자에 의해서 가능하다고 할 수 있다. 그러므로 사설시조에 나타난 성담론을 분석하는 작업[3]에서는

2 류해춘, 「사설시조에 나타난 시적화자의 유형과 그 특성」, 『어문학』 52집, 1990 참조.

상행위의 정의를 물질적으로 물건을 사고파는 행위뿐만 아니라 정신적으로 의식을 사고파는 행위까지로 그 의미를 확대하여야 한다.[4]

사설시조는 18세기 조선후기로 넘어 오면서 작품의 수가 증가하고 그 제재가 다양해지면서 사회적인 문제의식이 확장되는 추세를 보여준다.[5] 이들 작품에는 상행위에 빗대어 장사치를 등장시키고 육담과 성적인 놀음을 사실적으로 표현하여 주부들이 직간접으로 체험한 애정생활의 다양한 양상을 드러내고 있다. 특히 이시기에 주부들이 가정생활을 하면서 상행위를 매개로 하여 육담에 가까운 직설적인 성담론을 펼쳐내었다는 것은 성에 대한 개방풍조로 인해 부부간의 애정갈등의 양상이 다양화되어 가는 21세기 현대사회의 현상과도 유사한 화두가 될 수 있다.

이러한 유형의 사설시조에서는 조선시대 여성이 가부장제도 아래에서 억압받는 성문화에 예속되어 있었다는 기존의 인식과는 다르게 역동적이고 기지가 넘치며 여성이 주도적으로 해학적인 미학을 지닌 성담론을 펼쳐내고 있어 그 의미가 크다고 할 수 있다. 이처럼 역동적이고 해학적인 성담론의 주체가 되는 여성화자는 18세

---

3 김석회, 「사설시조 '각시닉 내 첩(妾)이 되나'의 의미와 의미변용」, 『조선후기 시가연구』, 월인, 2003.; 박애경, 「조선후기 시조의 통속화 과정과 양상연구」, 연세대대학원(박사), 1997.; 이영태, 「각씨닉[네]~'시조의 검토와 '각시닉 내 妾첩이 되나'의 해석」, 『시조학논총』 22집, 2005.

4 류해춘, 「21세기 속의 화두, 사설시조에 나타난 주부의 성담론(1)」, 『시조세계』 19집, 2005 참조.; 「21세기 속의 화두, 사설시조에 나타난 주부의 성담론(2)」, 『시조세계』 20집, 2005 참조.

5 고정옥, 『고장시조선주』, 정음사, 1949.; 김학성, 「사설시조의 작가층, 한국고시가의 거시적 탐구」, 집문당, 1997.; 김흥규, 『사설시조』, 고려대민족문화연구소, 1993.; 신은경, 『사설시조의 시학연구』, 서강대대학원(박사), 1988.; 조규익, 『만횡청류』, 박이정, 1999.

기 이후 한국사회에 집중적으로 부각된 열녀의 이미지와는 상반된 모습을 보여줌으로써 당시 여성들에게 비교적 자유롭고 개방적인 성의식을 싹트게 했다고 할 수 있다.

이처럼 조선후기 인간생활의 현장을 사실적으로 보여주고 있는 사설시조에서는 애정과 관련된 상행위가 등장하여 그 당대 사람들의 애정과 경제의 상관성을 보여 주는 경우가 주목을 받고 있다. 사설시조에 나타난 상행위에는 물질적 궁핍을 강요하는 사회와의 투쟁이나 갈등을 드러내기보다는 오락성과 유흥성의 측면에서 재화나 금전의 과소비에 대한 문제점을 드러내고 있다고 할 수 있다. 이때 나타난 사설시조의 성담론은 여성의 성적 억압을 상상적으로 해소하기 위한 욕망의 투사체이거나 혹은 대리만족으로 여성의 성적 욕망을 다루었다고 보아야 할 것이다.

조선후기 우리사회의 풍류방이나 유흥의 산물로 흥행한 사설시조에 담겨있는 주부들의 활발한 모습은 유교적 질서가 확고했던 조선 시대에도 여성이 가정 내에서 그 역할이 점차 변해가고 있으며, 현대사회의 주부들 못지않게 자유롭고 발랄한 성담론을 구사하고 있음을 보여주고 있다. 사설시조에 나타난 상행위를 매개로 한 주부들의 성담론이라는 주제는 21세기 현대사회에서 무너져가는 가족관계와 천민자본주의 그리고 다양한 성담론이 펼쳐지면서 점차 성(性) 문화가 개방되고 성(性)산업이 활성화되고 있는 오늘날의 현대인들에게 많은 시사점을 준다고 할 수 있다.

조선시대 사설시조에 나타난 상행위에 빗댄 장사치와 주부의 성담론은 크게 두 가지로 나누어진다. 하나는 주부와 장사치가 대화체를 수용하여 애정을 노래하는 작품이며, 다른 하나는 주부가 독백체로 장사치와의 애정놀음을 주제로 하는 작품으로 나누어진다. 먼저 대화체를 수용한 주부와 장사치의 성놀음을 노래하고 있는 작품을 살펴보기로 한다.

2. 대화체를 수용한 주부와 장사치의 애정놀음

현재 우리 사회에서는 주부가 애정의 욕구를 충족하지 못해서 가족 간의 갈등을 일으키는 경우가 종종 발생하고 있다. 오늘날 대중문화의 대표적인 장르인 가요와 드라마는 대부분 애정갈등을 소재로 한 사랑타령과 그 갈등이 주류를 이룬다고 할 수 있다. 새로운 대중문화의 갈래인 영화나 만화 그리고 웹툰에도 애정갈등에 관한 사랑의 이야기가 주된 내용이라고 할 수 있다. 상품이 광고나 홍보의 내용도 상품을 팔기 위해 사랑을 입혀서 판매하고 있다. 이처럼 현대는 애정에 관한 담론이 대중매체와 대중문화에 홍수를 이루고 있다. 선정적인 사생활의 폭로에서부터 성의식의 조사라는 점잖은 탈을 쓴 실태조사에 이르기까지 대중매체는 성(性)에 관한 말로 홍수를 이룬다.

오늘날의 대중문화는 현대인들이 지닌 애정의 갈등과 애정의 욕구를 이익을 창출하기 위한 상행위를 매개로 하여 작동하는 경우가 자주 문제가 되기도 한다. 이러한 현상은 현대 사회인 21세기의 개방적인 성문화로 야기되는 문제라고 할 수 있다. 이와 비슷한 내용을 노래하고 있는 18세기 이후에 창작된 사설시조에서는 유흥현장을 노래하면서 현대의 대중문화와 흡사한 내용의 성담론을 표출하고 있다는 점에서 매우 시사적이라 할 수 있다.

다음의 사설시조는 상행위를 빗대어 여성화자가 장사치와의 대화를 통하여 청자들에게 성적인 말놀음으로써 당시의 성문화를 노래하고 있는 내용이다.

  듹들에 단저(丹著) 단(丹)술사오
  져 장ᄉ야 네 황호 몃 가지나 웨논이 사쟈
  알애등경 웃등경 걸등경 즈을이
  수 저(著) 국이 동회 동노구(銅爐口) 가옵네
  大牧官 여기(女妓) 소객관(小客官) 酒湯이
  본시 쑬어져 물조로로 흘으는 구머 막키여
  쟝ᄉ야 막킴은 막혀도 후(後)ㅅ 말 업씨 막혀라

  〈현대역〉
  댁들에 젓가락 숟가락 묶음사오
  저 장사야 네 물건 몇 가지나 있느냐 사자
  아래 등잔걸이 위 등잔 걸이 걸 등잔걸이 조리
  수저 국자 동이 통노구 가운데
  대목관(大牧官) 기생 소각관(小各官) 주탕이
  본시 뚫어져 물 조르르 흐르는 구멍 막으리
  장사야 막히기는 막혀도 뒷말 없게 막히리라

해동가요(海東歌謠)[6]

6 김흥규 역주, 『사설시조』, 고려대민족문화연구소, 1993, 401번 참조.

　장사치와 여성화자의 대화체로 이루어진 이 작품은 장사치와 여성화자 사이에 일어난 가정의 생활용품을 사고파는 상행위를 남녀 간의 성행위가 연상되도록 매개하여 작품을 비유적으로 표출하고 있다. 표면적으로는 일상생활에서 이루어지는 상행위를 구어(口語)체 그대로 옮겨 여성화자와 장사치의 상행위를 사실적으로 묘사하고 있지만, 내면적으로는 상행위를 묘사한 부분보다는 여성화자와 장사치의 성적인 말놀음이 주된 내용이라 할 수 있다. 이러한 비유를 사용하는 작품들은 인간의 고정된 삶을 형상하는 것이 아니라 서민들이 살아가는 삶을 역동적으로 드러낸다고 할 수 있다.

　초장에서는 장사치로 대표되는 남성화자와 고객으로 연상되는 여성화자를 내세워 여성이 가정생활에서 필수품으로 사용하는 젓가락과 숟가락을 사고파는 상행위를 서술하고 있다. 가정생활의 필수품인 숟가락과 젓가락을 구매하려는 여성화자와 숟가락과 젓가락을 팔려는 장사치가 서로 흥정을 하면서 대화를 주고 받고 있다. 여성화자는 장사치에게 팔려고 하는 가정필수품의 종류가 어떤 것이 있는 지를 외어보고 설명하라고 장사치에게 요구하고 있다.

　이에 남성화자인 방물장수인 장사치는 중장에서 여성화자의 질문에 자신이 가지고 있는 잡화의 여러 종류를 나열하면서 상징적으로 여근(女根)의 구멍을 막을 수 있는 물건도 있다고 묘사하고 있다. 이 부분에서는 숟가락과 젓가락을 사고파는 상행위가 반전이 되어 남녀간의 성행위를 연상시키고 있다. 방물장수로 연상되는 장사치의 발화에는 두 여성, 즉 대목관의 기생으로 표현된 여기(女妓)와 소각관의 주탕(酒湯)이가 등장하여 상행위가 곧바로 남녀간의 성문제로 전이되어 감을 알 수 있다. 남녀의 성문제로 전이된 장사치와 여성화자의 대화는 여성의 성기인 여근의 구멍을 막는 일, 남성과 여성의 애정행위를 연상시키는 성적인 말놀음으로 변하고 있다.

종장에서 여성화자는 장사치의 성적인 말놀음에 더하여 자신의 구멍을 막기는 막아도 뒷말이나 없게 막으라고 한다. 여기서는 여성화자가 방물장수로 보이는 장사치의 육담에 호응하여 개방적인 성의식을 적극적으로 수용하여 성담론을 주도하는 입장으로 바뀌게 된다. 더욱이 여성화자는 방물장수인 장사치와의 대화를 통해서 숟가락과 젓가락을 사는 대신에 남녀의 애정을 표현하는 담론으로 나아가게 되었다. 여기서는 숟가락과 젓가락을 사고파는 행위가 남녀간의 애정을 사고파는 관계로 비유되어 사랑타령의 성담론으로 나아가고 있다. 이러한 방물장수와 여성화자의 상행위를 통한 성담론은 여성의 내면적인 애정담론을 표출하는 기능을 하며 독자들로 하여금 생활현장에서의 성적인 웃음을 유발하게 한다. 사설시조에 나타난 이와 같은 성담론은 당대의 여성들에게 비교적 자유롭고 개방적인 성의식을 싹트게 했다고 할 수 있다.

위의 작품은 주부와 장사치의 성적인 말놀음, 즉 대화체를 통해서 여성화자가 상행위보다는 해학적인 성담론으로 유도하고 주도하는 모습을 보여주고 있다. 여성 고객에게 잡화와 생활필수품을 팔려고 하는 방물장수의 타고난 상행위는 여성고객의 잠재적인 성욕을 자극하게 하여 단번에 분위기를 반전시키고 성적인 놀음으로 장사판을 성담론으로 전환하는 장치라고 할 수 있다. 이처럼 사설시조에 나타난 상행위가 성행위로 전환되는 담론에서는 당시의 물질적인 궁핍을 강요하는 사회와의 갈등이 드러나지 않고 오락적인 관점이나 해학적인 관점이 두드러지게 강조되고 있다. 이러한 측면은 18세기 이후의 사설시조가 현대의 대중문화와 유사한 유흥문화의 산물이라는 점을 반영하고 있는 것이다.

인간의 역사는 성욕의 인식에 따른 발전이라고 할 수 있으며, 많은 문화적인 장치 또한 성욕을 자극하고 영위하기 위해서 발전된 것이라고 해도 과언이 아닐 것이다.[7] 인간이 성에 대한 본능과 욕구가 없는 삶이란 아무런 의미가 없다고 주장하는 학자도 있다.

다음의 노래에서는 더위팔기라는 세시풍속을 매개로 하여 방물장수인 장사치와 여성화자의 대화를 통해서 남녀의 애정을 사고파는 모습을 보여주고 있어 관심을 끌고 있다. 여기서 상행위는 물질적으로 더위를 사고파는 행위가 아니라 정신적으로 더위를 사고 파는 행위를 비유적으로 표현한 것이다.

閣氏네 더위들 사시오
일은 더위 느즌 더위 여러히포 묵은 더위
五六月 伏더위에 情에 님 만나이셔
들 블근 平牀우희 츤츤 감겨 누엇다가
무음 일 ᄒᆞ엿던디 五臟이 煩熱ᄒᆞ여
구슬 ᄯᆞᆷ 들니면서 헐덕이는 그 더위와
冬至들 긴긴밤의 고온님 품의 들어
ᄃᆞᄉᆞ혼 아름목과 둑거온 니블 속에
두몸이 혼몸되야 그리져리ᄒᆞ니
手足이 답답ᄒᆞ고 목굼기 타올적의

---

7 루스 웨스트하이머·스티븐 캐플린(김대웅 역), 『스캔들의 역사』, 이마고, 2004, 7-17쪽 참조.

웃목에 춘 슉늉을 벌덕벌덕 켜는 더위
閤氏네 사려거든 所見대로 사시옵소
장ᄉᆞ야 네 더위 여럿듕에
님 만난 두 더위는 누가 아니 좋아 하리
늠의게 ᄑᆞ디말고 브듸 내게 ᄑᆞᄅᆞ시소

〈현대역〉

각씨네 더위들 사시오
이른 더위 늦은 더위 여러 해 묵은 더위
오뉴월 복 더위에 고운 님 만나셔
달 밝은 평상 위에 츤츤 감겨 누었다가
무슨 일 하였던지 오장이 타는 듯하여
구슬 땀 흘리면서 헐떡이는 그 더위와
동짓달 긴긴 밤의 고운 님 품에 들어
따스한 아랫목과 두꺼운 이불 속에
두 몸이 한 몸 되어 그리저리 하니
수족이 답답하고 목구멍 탈 때에
윗목에 찬 슝늉을 벌덕벌덕 켜는 더위
각씨네 사려거든 소견대로 사시옵서
장사야 네 더위 여럿 중에
님 만난 두 더위는 누가 아니 좋아 하리
남에게 파지 말고 부디 내게 파라소서

봉래악부(蓬萊樂府)[8]

이 작품은 신헌조(申獻朝, 1752~?)의 작품으로 더위팔기와 애정행위를 비유하여 표현하고 있는 사대부의 사설시조로 주목을 받고 있는 작품이다. 더위팔기는 정월 대보름(음력 1월 15일) 날 아침에 행하는 풍속으로 해뜨기 전에 누군가를 만나면 먼저 상대방의 이름을 부르면서 "내 더위 사가게."라고 말하면 그 해는 더위를 먹지 않는다는 것이다. 그러면 상대방은 대답을 하는 대신에 오히려 "내 더위 먼저 사가게."라고 말하기도 하는데 이것을 학(謔)이라고 한다. 몇 십 년 전만해도 이 풍속은 전국 어디서나 존재했다고 하나, 21세기 현재에는 더위팔기의 풍속을 잊어버리고 살아가고 있다.

이 작품의 초장에서는 화자인 장사치가 각씨들에게 더위를 파는 모습을 보여주고 있어 정월 대보름에 하는 더위팔기라는 민속놀이를 연상하도록 하고 있다. 이 여성에게 팔고자하는 더위는 일찍 찾아오는 더위, 늦게 찾아오는 더위, 여러 해 묵은 더위 등이 있다. 민속놀이에서 팔고자하는 더위는 바깥 기온이 높아져서 사람의 몸에 땀이 나는 더위를 말하는 것이다.

이 작품에서는 이러한 더위들을 팔기만 하는 데서 그치는 것이 아니라, 청자로 여성인 각씨를 내세우고 있어 남녀간의 애정행위로 인한 더위팔기를 전제로 하고 있다. 여기에서는 남성화자인 장사치가 등장하여 여성인 각씨를 부르면서 여성화자에게 더위를 팔고자함으로써 독자들을 긴장시키고 있다. 민속놀이의 더위팔기는 주로 남자들 사이에서나 친구 사이에서 이루어지는 놀이인데, 여기서는 장사치 와 각씨를 등장시킴으로써 기존의 통념을 무너뜨리고 있다.

---

8 심재완, 『역대시조전서』, 세종문화사, 1972, 49번 참조.

중장에서 담화를 이끌어가는 남성화자인 장사치는 여성화자인 각씨에게 남녀의 애정행위에 관한 두 개의 다른 더위를 설명하고 있다. 첫째 더위는 오뉴월 복더위이지만 밤에 사랑하는 임을 만나 달이 밝은 평상 위에서 서로 함께 누웠다가 애정행위를 하니 오장에 열이 나고 구슬 땀 을 흘리는 것이다. 둘째 더위는 겨울철 긴긴 밤에 고운 임을 품고서 따뜻한 아랫목의 이불 속에서 두 몸이 한 몸이 되어 애정행위를 하니 목구멍이 타서 찬 숭늉을 마시는 더위이다. 이러한 더위의 갈망은 성적 쾌락을 추구하는 남녀의 공통적인 갈망이라 할 수 있다.

종장에 등장한 여성화자는 자신의 주장이 뚜렷한 인물이다. 중장에서 남성화자가 팔고자하는 모든 더위를 다 사는 그러한 인물은 아니라고 할 수 있다. 종장에서 여성화자는 남녀간의 애정행위를 동반하고 임을 만난 더위, 즉 여름철이나 겨울철에 이루어지는 남녀간의 애정행위 와 관련된 더위만을 사고자 하는 것이다. 청자인 여성은 초장에 나오는 '이른 더위', '늦은 더위', '여려 해 묵은 더위' 등에는 아랑곳하지 않고, 여름철의 애정행위로 구슬 땀을 흘리는 더위와 겨울철에 애정행위를 하니 목구멍이 타서 찬 숭늉을 마시는 더위에 관심이 있다. 그래서 더위를 파는 민속놀이가 더위를 사는 남녀간의 애정놀음으로 바뀌고 있다.

특히 이 작품의 대화체 속에는 '구슬 땀을 흘리면서 헐떡이는 더위', '찬 숭늉 벌덕벌덕 켜는 더위' 등의 공감각적인 언어를 동원하여 육담에 가까운 애정행위를 구체적으로 묘사함으로써 본능적인 애정행위의 적나라한 모습을 보여주고 있다.

여성화자의 이러한 담론에서 '더위를 팔아야 한다'는 민속놀이의 본래의 취지는 사라지고, 애정행위를 통하여 더위를 사는 행위가 되어, 독자들은 숨어서 마음껏 웃을 수 있는 것이다. 여성에게 필요한 더위는 애정의 진수를 아는 성인의 더위요 쾌락의 더위라고 할 수 있다. 이 더위는 아무나 알고 있는 더위가 아니라 이 더위를 경험한 사람만이 알고 살 수 있는 것이다. 이처럼 이 작품은 민속놀이인 더위팔기에 빗대어 남녀 간의 애정생활을 묘사하는 사랑타령으로 내용을 이끌어가고 있다. 특히 종장에서 여성화자가 만들어내는 능청스러운 응수는 '더위팔기'라는 민속놀이를 남녀의 애정행위에 관련된 '더위사기'라는 화두로 주제를 바꾸어 놓은 것이라 할 수 있다. 여성의 성욕을 이처럼 상상의 공간 속에서 재치있게 말놀음으로 표현한 수사학은 현대를 살아가는 우리들 주변에서 일어나는 대중예술의 선정적이고 해학적인 모습과 비슷한 상황을 연상시킨다고 할 수 있다.

장사치와 주부의 대화로 이루어진 위의 두 작품은 대화체가 지니고 있는 사실적 지향과 여성의 자유로운 애정행위에 대한 욕구가 서로 적절한 긴장관계를 이루고 있다. 가정생활에서 여성들은 경제적으로 필요한 물건을 장사치에게 구입하여야 한다. 시장 풍속의 세속적이고 질펀한 삶 속에서 의식주에 필요한 물건을 구입하는 여성은 장사치의 구수한 입담에 인간의 본능인 애정에 대한 갈망이 일어나 많은 물건을 샀는지도 모를 일이다. 인간생활에서 물건을 사고파는 일은 금전, 사회문화 그리고 인간의 감정 등이 복합적으로 이어져 있으므로 이러한 작품에 표출되는 양상과는 다르다고 할 수 있다.

앞의 작품에서 사고파는 더위는 여름의 무더위가 아니라 여성에게 필요한 더위, 즉 애정행위의 진수를 아는 사람들의 더위요 쾌락의 더위라고 할 수 있다. 이러한 상황에 오게 되면 민속놀이에서의 '더위팔기'는 이 사설시조에서 '더위사기'가 되는 반전을 거치게 된다. 즉 민속놀이에서 '더위팔기'는 일 년 동안 건강하게 살아가기를 기원하는 인간의 소망이 담긴 것이고, 사설시조에서 '더위사기'는 남녀간의 진솔한 애정을 추구하는 인간의 원초적인 본능을 보여주는 것이라 할 수 있다. 이처럼 조선후기 사설시조에서는 상행위에 빗댄 주부와 장사치의 대화를 통하여 물건을 사고파는 행위를 해학적이고 유흥지향적인 성놀음으로 반전시켜 주부들의 억눌린 성의식을 발산하는 도구로도 사용하였다고 볼 수 있다.

3. 주부의 독백체로 표현된 장사치와 애정놀음

사랑은 시장거래와 같다. 공리주의의 사랑은 거래 관념의 하나로 사랑을 진척시킨다. 그러한 관념에 따르면 부부나 남녀관계는 공정하고 유익한 관계에 있어야 한다. 남녀는 주고받는 것이 일치하는 만큼 그들의 관계에 만족할 수 있다. 그래서 사랑은 투자와 수익의 가늠을 통해 아름다움 또는 개인적 따뜻함과 같은 개인적 속성을 권력이나 자본으로 교환할 수 있다.

자본주의의 가치가 문화와 사랑에 침투한 것은 남녀와 부부의 관계 뿐만 아니라 그 애정과 사랑도 서로의 만족에 따라 변한다는 것이다.[9] 여기서는 사설시조에 나타난 상행위와 불륜의 관계를 살펴보기로 한다.

불륜이란 인륜에 벗어난 비윤리적 행위를 뜻한다. 특히 조선시대에는 음란과 음행 속에 포함된 불륜을 금기시하고 죄악시하였다. 성은 숨겨야 할 문제이고, 외도는 숨겨져야 하며, 입에 담아서는 안 되는 것이 여성의 미덕이라 할 수 있다. 한 가정에서의 부부는 한 남자와 한 여자가 애정을 바탕으로 맺어지는 것이 가장 바람직하다고 할 수 있다. 남자와 여자의 결합이라는 것은 남편과 아내가 일대 일의 대등한 관계에서 상대방을 독점해야 한다는 의미이고, 애정을 바탕으로 해야 한다는 것은 순수하고 비타산적인 사랑의 공감대가 서로 형성되어야 한다는 의미이다. 또한 가정은 부부간에 정상적인 애정생활이 동반되어야 원활한 가정을 꾸려갈 수 있다.

하지만 조선후기 사설시조에는 가장의 무능으로 인해 가정에서의 부부갈등이 생기고, 여성화자인 주부가 애정행위의 대상자로 장사치를 작품에 등장시켜 불륜을 저지르는 담론이 존재하고 있다. 이러한 사설시조에서는 여성화자의 애정에 대한 욕구를 과시적으로 표출하고 있는 작품들이 많은데, 이는 여성이 가정생활을 하면서 건장하고 잠자리를 잘하는 젊은 남편이나 멋있는 남편이 더욱 필요함을 보여주고 있는 것이라 할 수 있다.

다음의 작품에서는 주부들이 무능한 배우자를 질책하거나 꾸짖는 성생활의 한 단면을 보여주고 있으며, 조선후기 여성들의 외도에 관한 성담론이 과시적이고 자랑스럽게 표출되어 있음을 보여주는 증거라 할 수 있다.

---

9 에바일루즈(박형신 · 권오헌 역), 『낭만적 유토피아 소비하기』, 이학사, 2017, 334-335쪽 참조.

술이라 ㅎ면 믈 믈 혀듯하고
飮食이라 ㅎ면 헌 말등에 셔리 황다앗듯
兩 水腫 다리 잡조지 팔에 할기 눈
안폿 쇱장이 고쟈 남진을 만셕듕이라 안쳐두고 보랴
窓 밧긔통메 장수 네나 즈고 니거라

〈현대역〉
술이라 함은 말이 물 들이키듯 하고
음식이라 하면 헌 말등에 서리 확 닿았듯
양쪽 수종(水腫)다리 잡좆이 팔에 흘기는 눈
안팎 곱사등이 고자 남편을 망석중이라 앉혀 두고 보랴
창 밖에 통메 장사 네나 자고 가거라

악학습영(樂學拾零)[10]

　이 작품에서 주부는 부부사이에 야기된 애정갈등의 원인을 남편의 무능함에 두고 있다. 화자인 주부는 독백체로 자신이 처해 있는 답답한 삶에 대한 반발로 먼저 남편의 무능력과 멋없음을 표출함으로써 애정생활의 대리만족을 추구함을 정당화하고 있다. 이 작품에서는 창밖에서 물건을 파는 남자이며 나무 그릇의 고장이 난 부분에 테를 맞추어 끼우는 장사인 통메장사를 '능력있는 서방'으로 선정하여 여성화자가 추구하는 애정의 상대자로 설정하면서 남편의 무능함을 고발하고 있다.

　이러한 여성의 태도는 가장이 주부를 돌보지 않고 다른 여자들에

10　심재완, 『역대시조전서』, 세종문화사, 1972, 1743번 참조.

게 눈을 주고, 자신이 좋아하는 술만을 마시니까, 여성화자가 자신의 진솔한 애정을 추구하려는 소망을 보여주는 것이라 할 수 있다. 위의 사설시조는 여성화자가 봉건제도 아래에서 남편의 무능력을 그대로 수용하고 받아들이기보다는 자신의 진솔한 애정에 대한 소망을 노골적으로 풀어놓고 있다는 점에서 주목받을 수 있다.

초장에서 여성화자는 남편에 대한 무능력한 생활 습관과 그 원망을 두 가지로 병렬시키며 서로 비교하고 있다. 여성화자에게 묘사된 가장의 두 가지 모습은 술을 엄청나게 마시는 것과 음식을 거의 먹지 않는 것이라 할 수 있다. 술을 많이 마시는 것은 말이 물을 마시듯이 술만 먹는다고 과장하여 표현하고 있으며, 음식을 거의 먹지 않는 것은 헌 말 등에 서리가 내린 것으로 비유하여 표현하고 있다. 이처럼 여성화자인 주부는 가장의 무능함을 강조하기 위해 술만 마시는 생활과 음식을 잘 먹지 않고 말술만을 마시는 모습으로 구체화시키고 병렬함으로써 남편을 폐인으로 묘사하고 있다.

중장에서 여성화자는 가장의 현재 무능한 모습을 설명하고 있다. 여성이라면 누구나 잘 생기고 멋있으며 능력이 있는 남성을 만나서 결혼생활을 하고 싶어 한다. 그런데 화자의 묘사에 의하자면 화자의 남편은 술로 폐인이 되어 있고 술을 너무 많이 마셔서 알코올 중독의 환자가 되었다고 보아야 한다.

여기에서 여성화자는 볼품없는 남편의 모습을 종기가 생긴 양쪽 다리, 가느다란 양쪽의 손잡이팔(손잡이, 잡좆이), 흘겨보는 눈, 곱사처럼 굽은 등, 그리고 생식기가 완전하지 못한 남자의 모습을 아주 구체적으로 묘사하고 있다. 여기서 남편의 가느다란 양쪽 팔에 묘사된 손잡이(잡좆이)는 음성의 유사성으로 보아 남편의 성기를 비유

하는 말로 남편의 여성 편력이 아주 심하였음을 표출한다고도 할
수 있다. 이러한 이유를 제시하면서 여성화자는 가장인 남편에게
얻지 못했던 인간으로서의 솔직한 애정욕구를 상행위를 하는 다른
남성을 투사체로 표현하여 대리만족하려고 하는 자신의 행동을 해
학적으로 표현하고 있다.

종장에서 여성화자는 배우자인 가장을 부정하고 현재 자신의 주
변에 존재하는 통메장사인 장사치를 애정행위의 대상자로 정하고
진솔한 애정을 찾아나서는 자유로운 성담론을 보여주고 있다. 여기
까지에 이르면 주부인 여성화자는 애정행위의 대상자로서 남편에
대한 자신의 불만을 표현하고 있는데 '꼭두각시처럼 무능한 남편보
다는 잡일을 하면서도 건강한 통메장사가 더 좋은 잠자리의 상대'라
는 것이다. 이러한 현상은 가정을 돌보지 않는 무능한 남편을 제쳐
두고, 여성화자는 가정이라는 굴레를 벗어나 진솔한 사랑을 추구하
려는 여성의 애정욕구를 표현하고 있다고 할 수 있다. 이러한 점은
사랑이라는 애정의 감정을 자연스럽게 발현하여 슬픔이나 애환을
가감없이 드러내려는 심리적 동기에서 비롯되는 것으로 대중예술
의 특성인 감상성을 잘 드러내는 현상이라고 할 수 있다.

다음의 사설시조는 여성화자의 독백체로 각종 장사치를 나열하
고 장사치와 자신의 애정 편력을 서술하는 성담론으로 주목받을 수
있다. 비윤리적인 부부관계의 이야기를 사실적으로 읊고 있는 이
노래는 불륜의 내용을 구체적으로 묘사하고 있는데, 이러한 내용은
현대 사회의 영화나 인터넷 그리고 많은 대중매체들이 앞을 다투면
서 남녀의 애정관계를 선정적으로 보도하려는 것과 매우 비슷하다
고 할 수 있다.

밋남편 廣州ㅣ 쎤리뷔 쟝ᄉ
쇼딕 남편 朔寧이라 닛뷔 장ᄉ
눈 情에 거론 님은 쑤싹 쑤두려 방마치 쟝ᄉ
돌호로 가마 홍도ᄭᅢ 쟝ᄉ 빙빙 도라 물레 쟝ᄉ
우믈젼에 치다라 근댕근댕 ᄒᆞ다가
워렁충창 풍덩 ᄲᅡ져 물 담복 써내ᄂᆞᆫ 드렛꼭지 쟝ᄉ
어듸가 이 얼골 가지고 죠릐 쟝ᄉ를 못 어드리

〈현대역〉

본남편 광주(廣州) 싸리 빗자루 장사
샛서방은 삭녕(朔寧)이라 잇짚 빗자루 장사
눈짓에 맺은 임은 두딱 두드려 방망이 장사
도르르 감아 홍두깨 장사 빙빙 돌아 물레 장사
우물 앞에 치달아 간당간당 하다가
얼른 퉁탕 풍 ᄲᅡ져 물 담뿍 떠내는 두레박 꼭지 장사
어디가 이 얼굴 가지고 조리 장사 못 얻으리

청구영언(靑丘永言)[11]

위의 노래는 여성화자와 장사치들의 애정행위를 구체적이고 사
실적으로 묘사하고 있다. 이러한 표현은 장사치들의 상행위하는 모
습을 구어(口語)체 그대로 서술하면서 상행위와 성행위의 유사성을
포착해내는 은유의 기법이다. 상행위의 모습은 장사치마다 다르며

---

11 심재완, 『세종문화사』, 1972, 1105번 참조.

그 특성을 지니고 있듯이, 여성화자는 장사치마다의 다양한 성행위의 역동적인 모습을 묘사하고 있다. 하지만 여성화자는 남성편력이 이처럼 다양함에도 불구하고, 그에 만족하지 못한 채 다시 자신이 설정한 애정의 욕구를 달성하기 위해 조리장수를 만나고자하는 자신감을 과시적으로 표출하고 있다.

초장에서 여성화자는 독백체로 자신의 본남편과 샛서방을 함께 소개하여 긴장감을 고조시키고 있다. 여성화자는 본남편이 광주에 사는 싸리비 장사이며 샛서방은 삭령에 사는 짚으로 만든 비를 파는 장사로 서술하고 있다. 여성의 불륜을 고백하는 목소리가 이처럼 상식을 초월하는 당당하고도 도전적이라는 것은 당시의 사회적 윤리에 대한 중대한 도전이라 할 수 있다. 그러므로 이 작품에서는 여성의 입을 빌어서 쾌락적인 관음(觀淫)의 대상으로 주부의 불륜을 재현해내고 있는 주체가 따로 있다는 생각이 든다. 여성화자의 이면에 깔려있는 은폐된 목소리의 주인공은 사설시조의 연행의 현장에 존재하는 남녀의 가객층이라 할 수 있다.

중장에서도 여성화자는 장사치의 상행위와 성행위의 유사성을 해학적인 말놀음으로 풀어내고 있다. 뚝딱 두드리는 듯한 방망이 장사, 도르르 감는 홍두깨 장사, 빙빙 도는 물레 장사, 물을 듬뿍 떠내는 두레박 꼭지 장사 등의 묘사는 성행위의 특징을 상행위에 비유하고 은유한 것으로 볼 수 있다. 상행위와 성행위의 음성이 서로 유사함을 비유하여 애정행위를 연상하도록 고안한 장치라 할 수 있다. 따라서 이 작품에서 여성화자의 독백은 상행위를 묘사한 점보다는 상행위에 빗댄 여성화자와 장사치의 성적이고 해학적인 말놀음이라 할 수 있다. 장사치를 등장시킨 여성화자의 육담은 더욱 적극적이고 현실의 관념을 뛰어넘는 것이라 할 수 있다. 여기에 이르면 건전한 상행위는 어디에서도 찾아볼 수 없고 장사치와 여성화자의 성적인 애정행위를 연상하도록 하는 성적이고 희화적인 말놀음으로 변하고 있다.

종장에서 여성화자는 자신의 얼굴을 과시하면서 다시 새로운 애정 상대자를 찾아 나선다. 자신의 성적 능력을 과시하는 여성화자는 새로운 상대자로 조리장사를 지목하고 있다. 이처럼 여성화자가 장사치와의 끊임없는 애정행위를 추구하는 것은 조선후기 윤리에 어긋난다고 할 수 있다. 아무런 죄의식 없이 불륜을 즐기고, 숱한 장사치 남자들과의 관계를 자랑스럽게 드러내는 여성의 모습은 현실적으로 거짓이거나 여성에게 가해진 억압을 의도적으로 왜곡한 현상이라고도 할 수 있으며, 성적이고 해학적인 말장난에 불과하다고 할 수 있다. 이처럼 사설시조에 나타난 여성의 성담론은 사회적인 갈등이나 문제점을 제시하지 않고 오락이거나 유흥의 측면으로 감상성에 젖어 있다는 점에서 유흥문화의 산물에 가깝다는 점을 떨쳐 버릴 수가 없었다. 그러므로 조선후기 사설시조는 이처럼 해학적이고 희화적이며 유흥지향적인 성담론을 통해서 주부들의 억눌린 성의식을 발산하는 도구로도 사용되었다고 할 수 있다.

사설시조에 나타난 상행위에 빗댄 관련된 성담론은 여성인 주부가 직접 재현한 경우보다는, 가객들이나 사설시조의 담담층들이 사설시조를 부르면서 가상의 상황을 상상적으로 재현한 경우가 더 많았다. 그러나 이러한 사설시조에 나타난 상행위와 관련된 장사치와 주부들의 자유롭고 개방된 성담론은 연행현장에서 참여자로 참석한 조선시대 여성들의 억눌린 성적 욕망을 풀어내는 데 큰 역할을

했다고 할 수 있다. 즉, 조선시대 현실과 규범에서 제도적으로 은폐
되었던 여성들의 성담론이 이와 같은 사설시조라는 기저를 통해서
우리 사회에 공론의 장으로 나타난 사실만으로도 21세기 현대사회
에 시사하는 점은 크다고 할 수 있다.

4. 사설시조와 대중예술의 사랑타령

사랑은 시대적 담론을 수용한 산물이다. 오늘날 "사랑도 시장의
거래와 비슷하다."라는 말이 유행하고 있다. 최근에 많은 심리학자
들의 연구는 마치 사랑이 사업상의 거래 즉, 수익과 손실의 문제인
것처럼 연구하고 있다. 이러한 연구는 사설시조에 나타난 상행위를
매개로 하여 18세기 이후 조선사회에 나타난 성풍속도의 변화를 잘
대변해준다고 할 수 있다.

지금까지 우리는 사설시조에 나타난 상행위에 빗댄 주부들의 성
담론을 간략하게 살펴보았다. 상행위는 가정생활을 하는 데 중요한
요소라 할 수 있고, 남녀의 결혼생활에서는 성행위가 중요한 역할
을 한다고 할 수 있다. 상행위와 성행위는 그 음성이 유사하여 발음
을 잘못하게 되면 혼동할 우려가 있다. 이처럼 사설시조에는 여성
화자가 등장하여 장사치와의 상행위를 남녀간의 성행위로 오인하
게 하는 음성의 유사성을 통하여 해학적인 말놀이를 진행하고 있는
작품이 존재하고 있다. 대화체를 중심으로 한 주부와 장사치의 성
적이고 해학적인 말놀음을 통해서 여성화자가 상행위보다는 성행
위를 연상하게 하는 담론으로 기울어지는 어긋남을 보여주고 있다.

여성 고객에게 잡화를 팔려는 장사치의 타고 난 상행위는 여성 고객의 잠재적인 성욕을 자극하게 하여 일시에 분위기를 반전시키고 서로 성적인 놀음으로 장사판을 유도하는 것이라 할 수 있다.

또, '더위팔기'라는 세시풍속을 소재로 등장시킨 작품에서는 사고파는 행위를 남녀의 애정행위에 관련된 '더위사기'라는 화두로 바꾸어서 여성의 성욕을 상상의 공간에서 자극하는 말놀음으로 표출하고 있다. 이러한 작품들은 현대를 살아가는 우리들 주변에서 일어나는 대중예술의 선정적인 모습과 비슷한 상황을 연상시킨다고 할 수 있다. 이처럼 사설시조에 나타난 상행위를 빗댄 성행위의 표현은 물질적 궁핍을 강요하는 사회와의 갈등이 드러나지 않고 오락이거나 해학의 관점을 보여주고 있다는 점에서 유흥문화의 산물에 가깝다는 점을 떨쳐 버릴 수 없었다.

주부의 독백체로 애정을 표출하면서 장사치와의 애정놀음을 보여주는 작품에서는 가정을 돌보지 않는 무능한 남편을 상정하여 가정이라는 굴레를 벗어나 진솔한 사랑을 추구하려는 여성의 의지를 표현하고 있다고 할 수 있다. 그러나 여성의 이러한 의지를 지나치게 강조하다 보니 자신의 진솔한 애정을 찾아 나서야 함에도 불구하고, 단순히 옆에 지나가는 장사치를 불러들여 불륜을 저지르겠다는 대리만족의 수준으로 전락하고 만다. 이러한 점은 심리적인 동기에서 여성화자가 감정의 자연스러운 발현을 통해서 슬픔이나 애환을 가감없이 드러내려는 대중예술의 특성인 감상성의 지나친 발로라고 할 수 있다.

사설시조가 연회의 현장에서 가창되었다는 사실로 볼 때, 사설시조가 연행될 때의 그 공간은 유흥성과 오락성이 고조되어 인간 본연의 진솔하고 질펀한 노래가 불려지면서 남녀간에 노골적인 성(性)에 대한 묘사가 자유롭게 이루어졌다고 할 수 있다. 이처럼 사설시조에 나타난 남녀의 대등한 성담론은 여성의 성적 억압을 상상적으로 해소하기 위한 욕망의 투사체이거나 혹은 대리만족으로 여성의 성적 욕망을 다루었다고 보아야 할 것이다.

따라서 사설시조에 나타난 상행위에 빗댄 성담론은 여성인 주부가 직접 재현한 경우보다는, 가객들이나 사설시조의 담당층들이 사설시조를 부르면서 가상의 상황을 상상적으로 재현한 경우가 더 많았다고 할 수 있다. 그러나 이러한 사설시조에 나타난 상행위와 관련된 장사치와 주부들의 자유롭고 개방된 성담론은 조선시대 여성들의 억눌린 성적 욕망을 풀어내는 데 큰 역할을 했다고 할 수 있다.

사설시조에 나타난 상행위에 빗댄 주부들의 성담론이라는 주제는 현재 무너져가는 가족관계와 천민자본주의 그리고 개방적인 성문화의 현상을 보이고 있으면서 성(性)산업이 만연하고 있는 21세기 현대인들에게 많은 관심을 끌기에 충분하다고 생각한다.

그래서 "사랑은 시장거래와 같다."라는 말이 있다. 자본주의 사회에서 공리주의의 사랑은 상품의 거래처럼 교환가치의 하나로 사랑을 개념화한다. 부부나 남녀관계의 사랑은 서로 공정하고 유익한 관계에서 주고받는 거래가 있어야 한다. 남녀는 서로가 주고받는 것이 일치하는 만큼 그들의 관계에서 서로가 만족할 수 있다는 것이다. 그러므로 공리주의 사랑은 투자와 수익의 가늠을 통해 아름다움 또는 개인적 따뜻함과 같은 개인적 속성을 권력이나 자본으로 교환할 수 있다고 설명한다. 자본주의의 가치가 문화와 사랑에 침투하여서 남녀와 부부의 관계 뿐만 아니라 그 애정과 사랑도 서로의 만족에 따라 변한다는 의미이다.

조선시대 유교사회의 풍류방이나 유흥의 산물로 흥행한 사설시조에 담겨있는 주부의 모습을 통해서 유교적 질서가 확고했던 조선 후기에도 여성이 가정 내에서 그 역할이 점차 변해가고 있었으며, 현대 여성들 못지않게 자유롭고 발랄한 성담론과 사랑의 사회학을 주장하고 있었음에 주목할 필요가 있다. 이런 점에서 상행위에 빗댄 장사치와의 육담을 주제로 한 사설시조는 다만 어머니라는 이름으로 위장된 자손의 번성을 위한 애정의 표현이 아니라, 쾌락을 위한 성욕의 표현이 등장하고 그를 해학적으로 묘사하고 사랑을 거래하는 상행위의 기법을 보여주고 있다는 점에서 동시대의 다른 장르에 비해서 사랑의 경제학과 사회학을 추구하는 선구적인 작품이라 할 수 있다.

하지만 사설시조에 나타난 대중예술의 특징은 예술의 오락성과 대리만족의 기능인 현실의 환상성과 도피성으로 이어질 수 있다. 사설시조에 나타난 사랑타령과 애정담론은 일상에서 금지되고 억압된 욕망들이 꿈틀거리는 현실과 꿈 사이에 존재하는 상상력을 노골적으로 표현한 경우가 많다.

현대사회의 참되고 진취적이며 창조적인 예술은 복잡한 형식의 예술이 아닐 수 없다. 예술이 소수의 독점에 의한 문화의 독점을 해소하는 방법은 경제적이며 사회적인 문제와 밀접한 연관이 있지만 소수에 의해 유지되는 예술독점을 방지하는 방법은 폭력적이고, 선정적인 대중예술로 단순화시키는 것이 아니라 오늘날의 대중들에게 대중예술과 대중문화의 판단능력을 기르도록 훈련시키는 일에 있다고 할 수 있다. 오늘날 대중문화의 과제는 다수인 대중들의 시각에 맞추어 상품을 제작하고 공급하는 일이 아니라 대중문화에 대한 대중의 시야를 다양하게 확장시키는 작업이 필요하다고 할 수 있다.

조선후기 사설시조의 담당층인 전문가객들은 백성들에게 새로운 정보인 사설시조를 대중들의 문화로 널리 보급하고 확대하기 위해서 사랑의 사회학을 주제로 담아서 노래하였다. 이러한 사설시조의 인기는 당시의 서민들에게 사회경제와 정치문화의 복지를 전파하였으며, 사설시조를 통해서 조선후기의 애정담론을 펼치며 사랑의 사회학에 모든 백성들이 관심을 가지게 했다.

이와 같은 사설시조에 나타난 조선후기 대중문화의 참된 의미를 알리면서 오늘날 우리 사회에 유행하고 있는 한류문화와 대중문화를 조선후기 대중예술인 사설시조와 판소리 등과 서로 비교하는 작업을 지속적으로 수행해야 할 시기가 되었다.

사설시조에 나타난 대중문화의 성격이 현재 유행하고 있는 한류문화의 문화콘텐츠와 대중가요 등에서도 흔한 내용이 되고 있다는 사실에 우리는 놀라지 않을 수 없다. 오늘날 세계 속에서 성장하는 한류의 문화콘텐츠와 K-컬쳐에 등장하는 대중문화의 특성인 지나친 오락성과 대리만족 등이 한국사회의 대중들에게 스트레스를 해소하고 행복을 가져다주는 건전한 문화활동으로 이어져 나가기를 희망한다. 지금은 대중문화를 체계적으로 연구하여 그 역사를 정리하고 젊은 세대들에게 대중문화의 본질을 올바르게 이해시켜서 바람직한 미래사회를 이끌어갈 대중문화의 길을 안내하여야 할 가장 적절한 시기이다.

현대사회에서 우리나라의 대중문화는 매우 요란하고 복잡하다.

오늘날 한국의 대중문화인 문화콘텐츠는 "악화(惡貨)가 양화(良貨)를 구축(驅逐)한다."는 경제논리를 기억해야 한다. 21세기의 한국 사회에서 올바른 문화콘텐츠를 성장시키는 일은 저급한 대중문화의 성행을 경계하면서, 건전한 대중문화와 우리의 한류문화가 세계적인 도약과 체계적으로 성장하고 발전하도록, 우리 모두가 힘과 지혜를 모으고 협력해야 한다.

참고문헌

[1장]

시조문학, 인문학의 글로컬화와 선비정신

류해춘, 「21세기와 인문학(글로컬화와 인문학)」, 『인문정책포럼』, 2011(겨울호).
김신중, 「시조문학, 상생과 융합을 위한 녹색담론」, 『한국문학과 예술』, 2018.
류해춘, 『시조문학의 정체성과 문화현상』, 보고사, 2017.

[2장]

시조문학과 봄철 사대부의 여가활동

심재완, 『역대시조전서』, 세종문화사, 1972.
박을수, 『한국시조대사전(상,하)』, 아세아문화사, 1991.

강남국, 『여가사회의 이해』, 형설출판사, 1999.
김광득, 『여가와 현대사회』, 백산출판사, 1997.
김대행, 『시가 시학 연구』, 이화여대출판부, 1991.
류해춘, 「사설시조에 나타난 여가활동의 양상」, 『시조학논총』 제21집, 2004.
_____, 「시조에 나타난 가을철 사대부의 여가활동」, 『시조학논총』 제23집, 2005.
_____, 「시조문학에 나타난 봄철의 여가활동에 대한 시고」, 『중앙어문논총』 제23집,
    2006.
_____, 「웰빙시대의 시조미학(봄편)」, 『시조세계』 제18호, 2005.
신연우, 『시조속의 생활, 생활속의 시조』, 북힐스, 2000.
신은경, 『풍류』, 보고사, 1999.
이찬욱, 「시조낭송의 콘텐츠화 연구」, 『시조학논총』 제19집, 2003.
임재해, 『한국민속과 오늘의 문화』, 지식산업사, 1994.
임종찬, 「장시조의 문예학적 연구」, 부산대대학원(박사), 1983.
조규익, 『만횡청류』, 박이정, 1996.
허왕욱, 『생활정서로 그려낸 시조미학』, 이회출판사, 2003.
한국여가문화학회, 『웰빙과 여가문화(발표요약집)』, 2004.
Aristotle, 『Nichomachean Ethics』, Random House, 1948.

J.Dumazedier, 『Toward a Society of Leisure』, The Free Press, 1967.
S.de Grazia, 『Of time, Work, and Leisure』, Doubleday & Company Inc., 1964.

시조문학과 여름철 사대부의 여가생활

김흥규 등저, 『고시조대전』, 고려대학교민족문화연구원, 2012.
심재완, 『역대시조전서』, 세종문화사, 1972.
박을수, 『한국시조대사전(상,하)』, 아세아문화사, 1991.

강남국, 『여가사회의 이해』, 형설출판사, 1999.
김광득, 『여가와 현대사회』, 백산출판사, 1997.
김대행, 『시가 시학 연구』, 이화여대출판부, 1991.
류해춘, 「사설시조에 나타난 여가활동의 양상」, 『시조학논총』 제21집, 2004.
_____, 「시조에 나타난 가을철 사대부의 여가활동」, 『시조학논총』 제23집, 2005.
_____, 「시조문학에 나타난 봄철의 여가활동에 대한 시고」, 『중앙어문논총』 제23집,
    2006.
_____, 「웰빙시대의 시조미학(봄편)」, 『시조세계』 제18호, 2005.
서철원, 『고전시가수업』, 지식의 날개, 2022.
신연우, 『시조속의 생활, 생활속의 시조』, 북힐스, 2000.
신은경, 『풍류』, 보고사, 1999.
이찬욱, 「시조낭송의 콘텐츠화 연구」, 『시조학논총』 제19집, 2003.
임재해, 『한국민속과 오늘의 문화』, 지식산업사, 1994.
임종찬, 「장시조의 문예학적 연구」, 부산대대학원(박사), 1983.
조규익, 『만횡청류』, 박이정, 1996.
허왕욱, 『생활정서로 그려낸 시조미학』, 이회출판사, 2003.
한국여가문화학회, 『웰빙과 여가문화(발표요약집)』, 2004.
Aristotle, 『Nichomachean Ethics』, Random House, 1948.
J.Dumazedier, 『Toward a Society of Leisure』, The Free Press, 1967.
S.de Grazia, 『Of time, Work, and Leisure』, Doubleday & Company Inc., 1964.

시조문학과 가을철 사대부의 여가활동

김흥규 등저, 『고시조대전』, 고려대학교민족문화연구원, 2012.
심재완, 『역대시조전서』, 세종문화사, 1972.
박을수, 『한국시조대사전(상,하)』, 아세아문화사, 1991.

강남국, 『여가사회의 이해』, 형설출판사, 1999.
김광득, 『여가와 현대사회』, 백산출판사, 1997.
김대행, 『시가 시학 연구』, 이화여대출판부, 1991.
김용찬, 『18세기의 시조문학과 예술사적 위상』, 월인, 1999.
류해춘, 「웰빙시대의 시조미학(여름편)」, 『시조세계』 제15호, 2004.
_____, 「웰빙시대의 시조미학(가을편)」, 『시조세계』 제16호, 2004.
_____, 「웰빙시대의 시조미학(겨울편)」, 『시조세계』 제17호, 2004.
_____, 「웰빙시대의 시조미학(봄편)」, 『시조세계』 제18호, 2005.
신연우, 『시조속의 생활, 생활속의 시조』, 북힐스, 2000.
신은경, 『풍류』, 보고사, 1999.
이찬욱, 「시조낭송의 콘텐츠화 연구」, 『시조학논총』 제19집, 2003.
임재해, 『한국민속과 오늘의 문화』, 지식산업사, 1994.
임종찬, 「장시조의 문예학적 연구」, 부산대(박사), 1983.
조규익, 『만횡청류』, 박이정, 1996.
허왕욱, 『생활정서로 그려낸 시조미학』, 이회출판사, 2003.
한국여가문화학회, 『웰빙과 여가문화(발표요약집)』, 2004.
Aristotle, 『Nichomachean Ethics』, Random House, 1948.
J.Dumazedier, 『Toward a Society of Leisure』, The Free Press, 1967.
S.de Grazia, 『Of time, Work, and Leisure』, Doubleday & Company Inc., 1964.

시조문학과 겨울철 사대부의 여가활동

김흥규 등저, 『고시조대전』, 고려대학교민족문화연구원, 2012.
심재완, 『역대시조전서』, 세종문화사, 1972.
박을수, 『한국시조대사전(상,하)』, 아세아문화사, 1991.

강남국, 『여가사회의 이해』, 형설출판사, 1999.
김광득, 『여가와 현대사회』, 백산출판사, 1997.
김대행, 『시가 시학 연구』, 이화여대출판부, 1991.
김용찬, 『18세기의 시조문학과 예술사적 위상』, 월인, 1999.
류해춘, 「웰빙시대의 시조미학(여름편)」, 『시조세계』 제15호, 2004.
류해춘, 「웰빙시대의 시조미학(가을편)」, 『시조세계』 제16호, 2004.
_____, 「웰빙시대의 시조미학(겨울편)」, 『시조세계』 제17호, 2004.
_____, 「웰빙시대의 시조미학(봄편)」, 『시조세계』 제18호, 2005.
신연우, 『시조속의 생활, 생활속의 시조』, 북힐스, 2000.
신은경, 『풍류』, 보고사, 1999.

이찬욱, 「시조낭송의 콘텐츠화 연구」, 『시조학논총』 제19집, 2003.
임재해, 『한국민속과 오늘의 문화』, 지식산업사, 1994.
임종찬, 「장시조의 문예학적 연구」, 부산대대학원(박사), 1983.
조규익, 『만횡청류』, 박이정, 1996.
최동국, 「조선조 산수시가의 이념과 미의식」, 성균관대대학원(박사), 1992.
허왕욱, 『생활정서로 그려낸 시조미학』, 이회출판사, 2003.
한국여가문화학회, 『well-being과 여가문화(발표요약집)』, 2004.
Aristotle, 『Nichomachean Ethics』, Random House, 1948.
J.Dumazedier, 『Toward a Society of Leisure』, The Free Press, 1967.
S.de Grazia, 『Of time, Work, and Leisure』, Doubleday & Company Inc., 1964.

[3장]
자본을 매개로 한 사설시조의 애정갈등

김흥규, 『사설시조』, 고려대민족문화연구소, 1993.
박을수, 『한국시조대사전(상,하)』, 아세아문화사, 1991.
심재완, 『역대시조전서』, 세종문화사, 1972.

고정옥, 『고장시조선주』, 정음사, 1949.
김석회, 「사설시조 '각시닉 내 첩(妾)이 되나'의 의미와 의미변용」, 『조선후기 시가연구』,
    월인, 2003.
김종환, 『사설시조의 서술구조와 현실인식의 표출양상 연구』, 경북대대학원(박사), 1994.
김학성, 「사설시조의 작가층」, 『한국고시가의 거시적 탐구』, 집문당, 1997.
류수열, 『꽃보고 우는 까닭』, 우리교육, 2007.
류해춘, 「21세기 속의 화두, 사설시조에 나타난 주부의 성담론(1)」, 『시조세계』 19집,
    2005.
_____, 「21세기 속의 화두, 사설시조에 나타난 주부의 성담론(2)」, 『시조세계』 20집,
    2005.
_____, 「사설시조에 나타난 시적 화자의 유형과 그 특성」, 『어문학』 52집, 1990.
박상영, 『사설시조의 웃음과 미학』, 아세아문화사, 2013.
박애경, 『조선후기 시조의 통속화 과정과 양상 연구』, 연세대대학원(박사), 1997.
신은경, 『사설시조의 시학 연구』, 서강대대학원(박사), 1988.
이영태, 「'각씨닉[네]~' 시조의 검토와 「각시닉 내 妾이 되나」의 해석」, 『시조학논총』
    22집, 2005.
조규익, 『만횡청류』, 박이정, 1999.

가족갈등을 매개로 한 사설시조의 성담론

김흥규, 『사설시조』, 고려대민족문화연구소, 1993.
심재완, 『역대시조전서』, 세종문화사, 1972.

고정옥, 『고장시조선주』, 정음사, 1949.
김열규, 『왜사냐면, 웃지요』, 궁리, 2003.
김종환, 「사설시조의 서술구조와 현실인식의 표출양상연구」, 경북대대학원(박사), 1994.
김학성, 「사설시조의 작가층」, 『한국고시가의 거시적 탐구』, 집문당, 1997.
류해춘, 「21세기의 화두, 사설시조에 나타난 주부의 성담론(1)」, 『시조세계』 19집,
    2005.
_____, 「21세기의 화두, 사설시조에 나타난 주부의 성담론(2)」, 『시조세계』 20집,
    2005.
_____, 「사설시조에 나타난 시적 화자의 유형과 그 특성」, 『어문학』 52집, 1990.
_____, 「가족갈등을 매개로 한 사설시조의 성담론」, 『시조학논총』 27집, 2007.
_____, 「금전을 매개로 한 사설시조의 성담론」, 『시조학논총』 25집, 2006.
박상영, 『사설시조의 웃음과 미학』, 아세아문화사, 2013.
박애경, 「조선후기 시조의 통속화 과정과 양상 연구」, 연세대대학원(박사), 1997.
신은경, 「사설시조의 시학 연구」, 서강대대학원(박사), 1988.
조규익, 『만횡청류』, 박이정, 1999.

웃음과 해학을 매개로 한 사설시조의 애정생활

김흥규, 『사설시조』, 고려대민족문화연구소, 1993.
심재완, 『역대시조전서』, 세종문화사, 1972.

고정옥, 『고장시조선주』, 정음사, 1949.
김종환, 「사설시조의 서술구조와 현실인식의 표출양상연구」, 경북대대학원(박사),
    1994.
김학성, 「사설시조의 작가층」, 『한국고시가의 거시적 탐구』, 집문당, 1997.
류해춘, 「21세기의 화두, 사설시조에 나타난 주부의 성담론(1)」, 『시조세계』 19집,
    2005.
_____, 「21세기의 화두, 사설시조에 나타난 주부의 성담론(2)」, 『시조세계』 20집, 2005.
류해춘, 「사설시조에 나타난 시적 화자의 유형과 그 특성」, 『어문학』 52집, 1990.
_____, 「가족갈등을 매개로 한 사설시조의 성담론」, 『시조학논총』 27집, 2007.
_____, 「금전을 매개로 한 사설시조의 성담론」, 『시조학논총』 25집, 2006.

박애경, 「조선후기 시조의 통속화 과정과 양상 연구」, 연세대대학원(박사), 1997.
신은경, 「사설시조의 시학 연구」, 서강대대학원(박사), 1988.
조규익, 『만횡청류』, 박이정, 1999.

상행위를 매개로 한 사설시조의 성담론과 사랑타령

김흥규, 『사설시조』, 고려대민족문화연구소, 1993.
박을수, 『한국시조대사전(상,하)』, 아세아문화사, 1991.
심재완, 『역대시조전서』, 세종문화사, 1972.

고정옥, 『고장시조선주』, 정음사, 1949.
김석회, 「사설시조 '각시닉 내 첩(妾)이 되나'의 의미와 의미변용」, 『조선후기 시가연구』
　　월인, 2003.
김대행, 「장형시조의 문법과 그 의미」, 『시조학논총』 제3,4집, 1987.
김열규, 『왜사냐면, 웃지요』, 궁리, 2003.
김종환, 『사설시조의 서술구조와 현실인식의 표출양상 연구』, 경북대대학원(박사),
　　1994.
김학성, 「사설시조의 작가층」, 『한국고시가의 거시적 탐구』, 집문당, 1997.
류해춘, 「사설시조에 나타난 시적 화자의 유형과 그 특성」, 『어문학』 제52집, 1990.
＿＿＿, 「금전을 매개로 한 사설시조의 성담론」, 『시조학논총』 제25집, 2006.
박노준, 「사설시조에 나타난 에로티시즘」, 『시조문학연구』, 정음사, 1983.
박애경, 『조선후기 시조의 통속화 과정과 양상 연구』, 연세대대학원(박사), 1997.
신은경, 『사설시조의 시학 연구』, 서강대대학원(박사), 1988.
조규익, 『만횡청류』, 박이정, 1999.

찾아보기

저자 **류해춘(柳海春)**

경남 합천에서 출생하여, 거창고등학교와 경북대학교 문리과대학을 수학하고 같은 대학원에서 석사학위(1985)와 박사학위(1993)를 받았다.

1987년부터 경북대, 인천대, 경주대, 대구대, 방송대, 울산대, 중앙대 등에서 시간강사를 하였다. 1998년부터 지금까지 성결대학교 교수로 있으면서 인문대학장과 대학평의원을 역임하였다. 학회에서는 한국시조학회장과 한국문학언어학회장으로 봉사했으며, 문단에서는 (사)한국문인협회(평론분과)와 (사)국제펜클럽(시분과) 회원으로 활동하고 있다. 지금은 서울시 종로구와 경상남도 합천에 위치한 (사)한국선비문화센터의 이사장으로 현대사회의 올바른 선비와 새로운 인재상을 정립하기 위해 애쓰고 있다. 앞으로는 지역사회에 선비문화교육관을 만들어서, 창의적인 지역인재 발굴과 육성을 통해, 새롭게 학행일치(學行一致)의 선비정신과 극기복례(克己復禮)하는 선비문화를 계승하고 재창조하여, 오늘날 한국사회의 화두인 지역균형과 문화예술의 건전하고 아름다운 발전을 위해 노력하고자 한다.

시조문학, 선비들의 여가문화와 사랑의 사회학

2023년 5월 24일 초판 1쇄 펴냄

저 자 류해춘
발행인 김흥국
발행처 보고사

책임편집 이경민
표지디자인 김규범
표지그림 (앞) 김홍도, 〈그림감상〉, 《단원풍속도첩》, 국립중앙박물관
　　　　　　(뒤) 신윤복, 〈휴기답풍〉, 국립중앙박물관

등록 1990년 12월 13일 제6-0429호
주소 경기도 파주시 회동길 337-15 보고사
전화 031-955-9797(대표)
　　　 02-922-5120~1(편집), 02-922-2246(영업)
팩스 02-922-6990
메일 kanapub3@naver.com / bogosabooks@naver.com
http://www.bogosabooks.co.kr

ISBN 979-11-6587-478-0　93810
ⓒ 류해춘, 2023

정가 20,000원